This planner belongs to

_____

_____

_____

_____

_____

_____

AT A GLANCE

	JANUARY	FEBRUARY	MARCH	APRIL	MAY	JUNE
1	WED	SAT	SUN	WED	FRI	MON
2	THU	SUN	MON	THU	SAT	TUE
3	FRI	MON	TUE	FRI	SUN	WED
4	SAT	TUE	WED	SAT	MON	THU
5	SUN	WED	THU	SUN	TUE	FRI
6	MON	THU	FRI	MON	WED	SAT
7	TUE	FRI	SAT	TUE	THU	SUN
8	WED	SAT	SUN	WED	FRI	MON
9	THU	SUN	MON	THU	SAT	TUE
10	FRI	MON	TUE	FRI	SUN	WED
11	SAT	TUE	WED	SAT	MON	THU
12	SUN	WED	THU	SUN	TUE	FRI
13	MON	THU	FRI	MON	WED	SAT
14	TUE	FRI	SAT	TUE	THU	SUN
15	WED	SAT	SUN	WED	FRI	MON
16	THU	SUN	MON	THU	SAT	TUE
17	FRI	MON	TUE	FRI	SUN	WED
18	SAT	TUE	WED	SAT	MON	THU
19	SUN	WED	THU	SUN	TUE	FRI
20	MON	THU	FRI	MON	WED	SAT
21	TUE	FRI	SAT	TUE	THU	SUN
22	WED	SAT	SUN	WED	FRI	MON
23	THU	SUN	MON	THU	SAT	TUE
24	FRI	MON	TUE	FRI	SUN	WED
25	SAT	TUE	WED	SAT	MON	THU
26	SUN	WED	THU	SUN	TUE	FRI
27	MON	THU	FRI	MON	WED	SAT
28	TUE	FRI	SAT	TUE	THU	SUN
29	WED	SAT	SUN	WED	FRI	MON
30	THU		MON	THU	SAT	TUE
31	FRI		TUE		SUN	

2020

JULY	AUGUST	SEPTEMBER	OCTOBER	NOVEMBER	DECEMBER	
WED	SAT	TUE	THU	SUN	TUE	1
THU	SUN	WED	FRI	MON	WED	2
FRI	MON	THU	SAT	TUE	THU	3
SAT	TUE	FRI	SUN	WED	FRI	4
SUN	WED	SAT	MON	THU	SAT	5
MON	THU	SUN	TUE	FRI	SUN	6
TUE	FRI	MON	WED	SAT	MON	7
WED	SAT	TUE	THU	SUN	TUE	8
THU	SUN	WED	FRI	MON	WED	9
FRI	MON	THU	SAT	TUE	THU	10
SAT	TUE	FRI	SUN	WED	FRI	11
SUN	WED	SAT	MON	THU	SAT	12
MON	THU	SUN	TUE	FRI	SUN	13
TUE	FRI	MON	WED	SAT	MON	14
WED	SAT	TUE	THU	SUN	TUE	15
THU	SUN	WED	FRI	MON	WED	16
FRI	MON	THU	SAT	TUE	THU	17
SAT	TUE	FRI	SUN	WED	FRI	18
SUN	WED	SAT	MON	THU	SAT	19
MON	THU	SUN	TUE	FRI	SUN	20
TUE	FRI	MON	WED	SAT	MON	21
WED	SAT	TUE	THU	SUN	TUE	22
THU	SUN	WED	FRI	MON	WED	23
FRI	MON	THU	SAT	TUE	THU	24
SAT	TUE	FRI	SUN	WED	FRI	25
SUN	WED	SAT	MON	THU	SAT	26
MON	THU	SUN	TUE	FRI	SUN	27
TUE	FRI	MON	WED	SAT	MON	28
WED	SAT	TUE	THU	SUN	TUE	29
THU	SUN	WED	FRI	MON	WED	30
FRI	MON		SAT		THU	31

AT A GLANCE

	JANUARY	FEBRUARY	MARCH	APRIL	MAY	JUNE
1	FRI	MON	MON	THU	SAT	TUE
2	SAT	TUE	TUE	FRI	SUN	WED
3	SUN	WED	WED	SAT	MON	THU
4	MON	THU	THU	SUN	TUE	FRI
5	TUE	FRI	FRI	MON	WED	SAT
6	WED	SAT	SAT	TUE	THU	SUN
7	THU	SUN	SUN	WED	FRI	MON
8	FRI	MON	MON	THU	SAT	TUE
9	SAT	TUE	TUE	FRI	SUN	WED
10	SUN	WED	WED	SAT	MON	THU
11	MON	THU	THU	SUN	TUE	FRI
12	TUE	FRI	FRI	MON	WED	SAT
13	WED	SAT	SAT	TUE	THU	SUN
14	THU	SUN	SUN	WED	FRI	MON
15	FRI	MON	MON	THU	SAT	TUE
16	SAT	TUE	TUE	FRI	SUN	WED
17	SUN	WED	WED	SAT	MON	THU
18	MON	THU	THU	SUN	TUE	FRI
19	TUE	FRI	FRI	MON	WED	SAT
20	WED	SAT	SAT	TUE	THU	SUN
21	THU	SUN	SUN	WED	FRI	MON
22	FRI	MON	MON	THU	SAT	TUE
23	SAT	TUE	TUE	FRI	SUN	WED
24	SUN	WED	WED	SAT	MON	THU
25	MON	THU	THU	SUN	TUE	FRI
26	TUE	FRI	FRI	MON	WED	SAT
27	WED	SAT	SAT	TUE	THU	SUN
28	THU	SUN	SUN	WED	FRI	MON
29	FRI		MON	THU	SAT	TUE
30	SAT		TUE	FRI	SUN	WED
31	SUN		WED		MON	

2021

JULY	AUGUST	SEPTEMBER	OCTOBER	NOVEMBER	DECEMBER	
THU	SUN	WED	FRI	MON	WED	1
FRI	MON	THU	SAT	TUE	THU	2
SAT	TUE	FRI	SUN	WED	FRI	3
SUN	WED	SAT	MON	THU	SAT	4
MON	THU	SUN	TUE	FRI	SUN	5
TUE	FRI	MON	WED	SAT	MON	6
WED	SAT	TUE	THU	SUN	TUE	7
THU	SUN	WED	FRI	MON	WED	8
FRI	MON	THU	SAT	TUE	THU	9
SAT	TUE	FRI	SUN	WED	FRI	10
SUN	WED	SAT	MON	THU	SAT	11
MON	THU	SUN	TUE	FRI	SUN	12
TUE	FRI	MON	WED	SAT	MON	13
WED	SAT	TUE	THU	SUN	TUE	14
THU	SUN	WED	FRI	MON	WED	15
FRI	MON	THU	SAT	TUE	THU	16
SAT	TUE	FRI	SUN	WED	FRI	17
SUN	WED	SAT	MON	THU	SAT	18
MON	THU	SUN	TUE	FRI	SUN	19
TUE	FRI	MON	WED	SAT	MON	20
WED	SAT	TUE	THU	SUN	TUE	21
THU	SUN	WED	FRI	MON	WED	22
FRI	MON	THU	SAT	TUE	THU	23
SAT	TUE	FRI	SUN	WED	FRI	24
SUN	WED	SAT	MON	THU	SAT	25
MON	THU	SUN	TUE	FRI	SUN	26
TUE	FRI	MON	WED	SAT	MON	27
WED	SAT	TUE	THU	SUN	TUE	28
THU	SUN	WED	FRI	MON	WED	29
FRI	MON	THU	SAT	TUE	THU	30
SAT	TUE		SUN		FRI	31

29
MONDAY

Important

7

8

9

10

11

12 PM

To-Do

○

○

○

○

○

○

○

○

○

○

1

2

3

4

5

6

Notes

7

8

9

M	T	W	T	F	S	S
1	2	3	4	5	6	7
8	9	10	11	12	13	14
15	16	17	18	19	20	21
22	23	24	25	26	27	28
29	30					

30
TUESDAY

JUNE **2020**

WK 27

7

8

9

10

11

12 PM

1

2

3

4

5

6

7

8

9

Important

To-Do

- ○
- ○
- ○
- ○
- ○
- ○
- ○
- ○
- ○
- ○

Notes

1
WEDNESDAY

Important

To-Do

- ○
- ○
- ○
- ○
- ○
- ○
- ○
- ○
- ○
- ○

Notes

7

8

9

10

11

12 PM

1

2

3

4

5

6

7

8

9

M	T	W	T	F	S	S
		1	2	3	4	5
6	7	8	9	10	11	12
13	14	15	16	17	18	19
20	21	22	23	24	25	26
27	28	29	30	31		

2
THURSDAY

7

8

9

10

11

12 PM

1

2

3

4

5

6

7

8

9

Important

To-Do

○
○
○
○
○
○
○
○
○
○

Notes

3
FRIDAY

Important

7

8

9

10

11

12 PM

To-Do

1

○

2

○

○

3

○

○

4

○

○

5

○

○

6

○

○

Notes

7

8

9

M	T	W	T	F	S	S
			1	2	3	4	5
6	7	8	9	10	11	12
13	14	15	16	17	18	19
20	21	22	23	24	25	26
27	28	29	30	31		

4
SATURDAY

JULY 2020
WK 27

7

8

9

10

11

12 PM

1

2

3

4

5

6

7

8

9

Important

To-Do

○
○
○
○
○
○
○
○
○
○

Notes

5
SUNDAY

Important

To-Do

- ○
- ○
- ○
- ○
- ○
- ○
- ○
- ○
- ○
- ○

Notes

7

8

9

10

11

12 PM

1

2

3

4

5

6

7

8

9

M	T	W	T	F	S	S
		1	2	3	4	5
6	7	8	9	10	11	12
13	14	15	16	17	18	19
20	21	22	23	24	25	26
27	28	29	30	31		

JULY 2020

WK 27

Weekly Recap

Ideas

6
MONDAY

Important

To-Do

- ○
- ○
- ○
- ○
- ○
- ○
- ○
- ○
- ○
- ○

Notes

7

8

9

10

11

12 PM

1

2

3

4

5

6

7

8

9

M	T	W	T	F	S	S
		1	2	3	4	5
6	7	8	9	10	11	12
13	14	15	16	17	18	19
20	21	22	23	24	25	26
27	28	29	30	31		

7

TUESDAY

JULY 2020

WK 28

7

8

9

10

11

12 PM

1

2

3

4

5

6

7

8

9

Important

To-Do

○
○
○
○
○
○
○
○
○
○

Notes

8
WEDNESDAY

Important

To-Do

- ○
- ○
- ○
- ○
- ○
- ○
- ○
- ○
- ○
- ○

Notes

7

8

9

10

11

12 PM

1

2

3

4

5

6

7

8

9

M	T	W	T	F	S	S
			1	2	3	4	5
6	7	8	9	10	11	12
13	14	15	16	17	18	19
20	21	22	23	24	25	26
27	28	29	30	31		

9
THURSDAY

JULY 2020
WK 28

7

8

9

10

11

12 PM

1

2

3

4

5

6

7

8

9

Important

To-Do

○
○
○
○
○
○
○
○
○
○

Notes

10
FRIDAY

Important		7
		8
		9
		10
		11
		12 PM
To-Do		1
○		2
○		3
○		4
○		5
○		6
○		7
○		8
○		9
Notes		

M	T	W	T	F	S	S
			1	2	3	4	5
6	7	8	9	10	11	12
13	14	15	16	17	18	19
20	21	22	23	24	25	26
27	28	29	30	31		

11
SATURDAY

JULY **2020**

WK 28

7

8

9

10

11

12 PM

1

2

3

4

5

6

7

8

9

Important

To-Do

○
○
○
○
○
○
○
○
○
○

Notes

12
SUNDAY

Important

To-Do

- ○
- ○
- ○
- ○
- ○
- ○
- ○
- ○
- ○
- ○

Notes

7

8

9

10

11

12 PM

1

2

3

4

5

6

7

8

9

M	T	W	T	F	S	S
		1	2	3	4	5
6	7	8	9	10	11	12
13	14	15	16	17	18	19
20	21	22	23	24	25	26
27	28	29	30	31		

JULY **2020**

WK **28**

Weekly Recap

_____
_____
_____
_____
_____
_____
_____
_____
_____
_____
_____
_____
_____
_____

Ideas

_____
_____
_____
_____
_____
_____
_____
_____
_____
_____
_____
_____

13
MONDAY

Important

To-Do

- ○
- ○
- ○
- ○
- ○
- ○
- ○
- ○
- ○
- ○

Notes

7

8

9

10

11

12 PM

1

2

3

4

5

6

7

8

9

M	T	W	T	F	S	S
		1	2	3	4	5
6	7	8	9	10	11	12
13	14	15	16	17	18	19
20	21	22	23	24	25	26
27	28	29	30	31		

14
TUESDAY

JULY **2020**
WK 29

7

8

9

10

11

12 PM

1

2

3

4

5

6

7

8

9

Important

To-Do

○
○
○
○
○
○
○
○
○
○

Notes

15
WEDNESDAY

Important

_____
_____
_____
_____
_____
_____
_____

To-Do

○ _____
○ _____
○ _____
○ _____
○ _____
○ _____
○ _____
○ _____
○ _____
○ _____

Notes

_____
_____
_____
_____
_____
_____
_____

7 _____

8 _____

9 _____

10 _____

11 _____

12 PM _____

1 _____

2 _____

3 _____

4 _____

5 _____

6 _____

7 _____

8 _____

9 _____
_____
_____

M	T	W	T	F	S	S
		1	2	3	4	5
6	7	8	9	10	11	12
13	14	15	16	17	18	19
20	21	22	23	24	25	26
27	28	29	30	31		

16
THURSDAY

7

8

9

10

11

12 PM

1

2

3

4

5

6

7

8

9

Important

To-Do

○
○
○
○
○
○
○
○
○
○

Notes

17
FRIDAY

Important

To-Do

- ○
- ○
- ○
- ○
- ○
- ○
- ○
- ○
- ○
- ○

Notes

7

8

9

10

11

12 PM

1

2

3

4

5

6

7

8

9

M	T	W	T	F	S	S
		1	2	3	4	5
6	7	8	9	10	11	12
13	14	15	16	17	18	19
20	21	22	23	24	25	26
27	28	29	30	31		

18
SATURDAY

7

8

9

10

11

12 PM

1

2

3

4

5

6

7

8

9

Important

To-Do

○

○

○

○

○

○

○

○

○

○

Notes

19
SUNDAY

Important

To-Do

- ○
- ○
- ○
- ○
- ○
- ○
- ○
- ○
- ○
- ○

Notes

7

8

9

10

11

12 PM

1

2

3

4

5

6

7

8

9

M	T	W	T	F	S	S
		1	2	3	4	5
6	7	8	9	10	11	12
13	14	15	16	17	18	19
20	21	22	23	24	25	26
27	28	29	30	31		

JULY **2020**

WK 29

Weekly Recap

Ideas

20
MONDAY

Important

To-Do

- ◯
- ◯
- ◯
- ◯
- ◯
- ◯
- ◯
- ◯
- ◯
- ◯

Notes

7

8

9

10

11

12 PM

1

2

3

4

5

6

7

8

9

M	T	W	T	F	S	S
		1	2	3	4	5
6	7	8	9	10	11	12
13	14	15	16	17	18	19
20	21	22	23	24	25	26
27	28	29	30	31		

21
TUESDAY

JULY  2020
WK 30

7

8

9

10

11

12 PM

1

2

3

4

5

6

7

8

9

Important

To-Do

○
○
○
○
○
○
○
○
○

Notes

22
WEDNESDAY

Important

_____
_____
_____
_____
_____
_____
_____
_____

To-Do

○ _____
○ _____
○ _____
○ _____
○ _____
○ _____
○ _____
○ _____
○ _____
○ _____

Notes

_____
_____
_____
_____
_____
_____
_____

7 _____

8 _____

9 _____

10 _____

11 _____

12 PM _____

1 _____

2 _____

3 _____

4 _____

5 _____

6 _____

7 _____

8 _____

9 _____

M	T	W	T	F	S	S
		1	2	3	4	5
6	7	8	9	10	11	12
13	14	15	16	17	18	19
20	21	22	23	24	25	26
27	28	29	30	31		

23
THURSDAY

7

8

9

10

11

12 PM

1

2

3

4

5

6

7

8

9

Important

To-Do

○
○
○
○
○
○
○
○
○
○

Notes

24
FRIDAY

Important

To-Do

- ○
- ○
- ○
- ○
- ○
- ○
- ○
- ○
- ○
- ○

Notes

7

8

9

10

11

12 PM

1

2

3

4

5

6

7

8

9

M	T	W	T	F	S	S
			1	2	3	4	5
6	7	8	9	10	11	12
13	14	15	16	17	18	19
20	21	22	23	24	25	26
27	28	29	30	31		

25
SATURDAY

JULY **2020**
WK 30

7

8

9

10

11

12 PM

1

2

3

4

5

6

7

8

9

Important

To-Do

○
○
○
○
○
○
○
○
○
○

Notes

26
SUNDAY

Important

To-Do
- ○
- ○
- ○
- ○
- ○
- ○
- ○
- ○
- ○
- ○

Notes

7

8

9

10

11

12 PM

1

2

3

4

5

6

7

8

9

M	T	W	T	F	S	S
		1	2	3	4	5
6	7	8	9	10	11	12
13	14	15	16	17	18	19
20	21	22	23	24	25	26
27	28	29	30	31		

JULY **2020**

WK **30**

Weekly Recap

_____

_____

_____

_____

_____

_____

_____

_____

_____

_____

_____

_____

_____

Ideas

_____

_____

_____

_____

_____

_____

_____

_____

_____

_____

_____

_____

_____

_____

27
MONDAY

Important

_____
_____
_____
_____
_____
_____
_____

To-Do

- ○ _____
- ○ _____
- ○ _____
- ○ _____
- ○ _____
- ○ _____
- ○ _____
- ○ _____
- ○ _____
- ○ _____

Notes

_____
_____
_____
_____
_____
_____
_____

7 _____

8 _____

9 _____

10 _____

11 _____

12 PM _____

1 _____

2 _____

3 _____

4 _____

5 _____

6 _____

7 _____

8 _____

9 _____

M	T	W	T	F	S	S
		1	2	3	4	5
6	7	8	9	10	11	12
13	14	15	16	17	18	19
20	21	22	23	24	25	26
27	28	29	30	31		

28
TUESDAY

7

8

9

10

11

12 PM

1

2

3

4

5

6

7

8

9

Important

To-Do

○
○
○
○
○
○
○
○
○
○

Notes

29
WEDNESDAY

Important

To Do

○ _____
○ _____
○ _____
○ _____
○ _____
○ _____
○ _____
○ _____
○ _____
○ _____

Notes

7

8

9

10

11

12 PM

1

2

3

4

5

6

7

8

9

M	T	W	T	F	S	S
			1	2	3	4	5
6	7	8	9	10	11	12
13	14	15	16	17	18	19
20	21	22	23	24	25	26
27	28	29	30	31		

30
THURSDAY

JULY **2020**
WK **31**

7

8

9

10

11

12 PM

1

2

3

4

5

6

7

8

9

Important

To-Do

○
○
○
○
○
○
○
○
○
○

Notes

31
FRIDAY

Important

To-Do

- ○
- ○
- ○
- ○
- ○
- ○
- ○
- ○
- ○
- ○

Notes

7

8

9

10

11

12 PM

1

2

3

4

5

6

7

8

9

M	T	W	T	F	S	S
					1	2
3	4	5	6	7	8	9
10	11	12	13	14	15	16
17	18	19	20	21	22	23
24	25	26	27	28	29	30
31						

1
SATURDAY

AUGUST **2020**

WK **31**

7

8

9

10

11

12 PM

1

2

3

4

5

6

7

8

9

Important

To-Do

○
○
○
○
○
○
○
○
○
○

Notes

2
SUNDAY

Important

To-Do

- ○
- ○
- ○
- ○
- ○
- ○
- ○
- ○
- ○
- ○

Notes

7

8

9

10

11

12 PM

1

2

3

4

5

6

7

8

9

M	T	W	T	F	S	S
					1	2
3	4	5	6	7	8	9
10	11	12	13	14	15	16
17	18	19	20	21	22	23
24	25	26	27	28	29	30
31						

AUGUST **2020**

WK **31**

Weekly Recap

Ideas

3
MONDAY

Important		7
		8
		9
		10
		11
		12 PM

To-Do

- ○
- ○
- ○
- ○
- ○
- ○
- ○
- ○
- ○
- ○

Notes

	1
	2
	3
	4
	5
	6
	7
	8
	9

4

TUESDAY

7

8

9

10

11

12 PM

1

2

3

4

5

6

7

8

9

Important

To-Do

○

○

○

○

○

○

○

○

○

○

Notes

5
WEDNESDAY

Important

To-Do

- ○
- ○
- ○
- ○
- ○
- ○
- ○
- ○
- ○
- ○

Notes

7

8

9

10

11

12 PM

1

2

3

4

5

6

7

8

9

6
THURSDAY

7

8

9

10

11

12 PM

1

2

3

4

5

6

7

8

9

Important

To-Do

○
○
○
○
○
○
○
○
○
○

Notes

7

FRIDAY

Important

To-Do

- ○
- ○
- ○
- ○
- ○
- ○
- ○
- ○
- ○
- ○

Notes

7

8

9

10

11

12 PM

1

2

3

4

5

6

7

8

9

M	T	W	T	F	S	S
					1	2
3	4	5	6	7	8	9
10	11	12	13	14	15	16
17	18	19	20	21	22	23
24	25	26	27	28	29	30
31						

8
SATURDAY

7

8

9

10

11

12 PM

1

2

3

4

5

6

7

8

9

Important

To-Do
- ○
- ○
- ○
- ○
- ○
- ○
- ○
- ○
- ○
- ○

Notes

9
SUNDAY

Important

To-Do

- ◯
- ◯
- ◯
- ◯
- ◯
- ◯
- ◯
- ◯
- ◯
- ◯

Notes

7

8

9

10

11

12 PM

1

2

3

4

5

6

7

8

9

M	T	W	T	F	S	S
					1	2
3	4	5	6	7	8	9
10	11	12	13	14	15	16
17	18	19	20	21	22	23
24	25	26	27	28	29	30
31						

AUGUST **2020**

WK **32**

Weekly Recap

Ideas

10
MONDAY

Important

To-Do
- ○
- ○
- ○
- ○
- ○
- ○
- ○
- ○
- ○
- ○

Notes

7

8

9

10

11

12 PM

1

2

3

4

5

6

7

8

9

M	T	W	T	F	S	S
					1	2
3	4	5	6	7	8	9
10	11	12	13	14	15	16
17	18	19	20	21	22	23
24	25	26	27	28	29	30
31						

11
TUESDAY

AUGUST  **2020**

WK 33

7

8

9

10

11

12 PM

1

2

3

4

5

6

7

8

9

Important

To-Do

○
○
○
○
○
○
○
○
○

Notes

12
WEDNESDAY

Important

To-Do

- ○
- ○
- ○
- ○
- ○
- ○
- ○
- ○
- ○
- ○

Notes

7

8

9

10

11

12 PM

1

2

3

4

5

6

7

8

9

M	T	W	T	F	S	S
					1	2
3	4	5	6	7	8	9
10	11	12	13	14	15	16
17	18	19	20	21	22	23
24	25	26	27	28	29	30
31						

13
THURSDAY

AUGUST 2020

WK 33

7

8

9

10

11

12 PM

1

2

3

4

5

6

7

8

9

Important

To-Do

○
○
○
○
○
○
○
○
○
○

Notes

14
FRIDAY

Important

To-Do

- ○
- ○
- ○
- ○
- ○
- ○
- ○
- ○
- ○
- ○

Notes

7

8

9

10

11

12 PM

1

2

3

4

5

6

7

8

9

15
SATURDAY

AUGUST **2020**
WK **33**

7

8

9

10

11

12 PM

1

2

3

4

5

6

7

8

9

Important

To-Do

○
○
○
○
○
○
○
○
○
○

Notes

16
SUNDAY

Important

To-Do

- ○
- ○
- ○
- ○
- ○
- ○
- ○
- ○
- ○
- ○

Notes

7

8

9

10

11

12 PM

1

2

3

4

5

6

7

8

9

M	T	W	T	F	S	S
					1	2
3	4	5	6	7	8	9
10	11	12	13	14	15	16
17	18	19	20	21	22	23
24	25	26	27	28	29	30
31						

AUGUST 2020
WK 33

Weekly Recap

_____
_____
_____
_____
_____
_____
_____
_____
_____
_____
_____
_____
_____
_____

Ideas

_____
_____
_____
_____
_____
_____
_____
_____
_____
_____
_____
_____
_____

17
MONDAY

Important

To-Do

- ○
- ○
- ○
- ○
- ○
- ○
- ○
- ○
- ○
- ○

Notes

7

8

9

10

11

12 PM

1

2

3

4

5

6

7

8

9

18
TUESDAY

7

8

9

10

11

12 PM

1

2

3

4

5

6

7

8

9

Important

To-Do

○
○
○
○
○
○
○
○
○

Notes

19
WEDNESDAY

Important

_____
_____
_____
_____
_____
_____
_____
_____

To-Do

○ _____
○ _____
○ _____
○ _____
○ _____
○ _____
○ _____
○ _____
○ _____
○ _____

Notes

_____
_____
_____
_____
_____
_____
_____

7 _____

8 _____

9 _____

10 _____

11 _____

12 PM _____

1 _____

2 _____

3 _____

4 _____

5 _____

6 _____

7 _____

8 _____

9 _____

_____

M	T	W	T	F	S	S
					1	2
3	4	5	6	7	8	9
10	11	12	13	14	15	16
17	18	19	20	21	22	23
24	25	26	27	28	29	30
31						

20
THURSDAY

AUGUST 2020
WK 34

7

8

9

10

11

12 PM

1

2

3

4

5

6

7

8

9

Important

To-Do

○
○
○
○
○
○
○
○
○
○

Notes

21
FRIDAY

Important

7

8

9

10

11

12 PM

To-Do

- ○
- ○
- ○
- ○
- ○
- ○
- ○
- ○
- ○
- ○

1

2

3

4

5

6

Notes

7

8

9

M	T	W	T	F	S	S
						1	2
3	4	5	6	7	8	9
10	11	12	13	14	15	16
17	18	19	20	21	22	23
24	25	26	27	28	29	30
31						

22
SATURDAY

AUGUST  2020

WK 34

7

8

9

10

11

12 PM

1

2

3

4

5

6

7

8

9

Important

To-Do

○
○
○
○
○
○
○
○
○
○

Notes

23
SUNDAY

Important

To-Do
- ○
- ○
- ○
- ○
- ○
- ○
- ○
- ○
- ○
- ○

Notes

7

8

9

10

11

12 PM

1

2

3

4

5

6

7

8

9

M	T	W	T	F	S	S
					1	2
3	4	5	6	7	8	9
10	11	12	13	14	15	16
17	18	19	20	21	22	23
24	25	26	27	28	29	30
31						

 AUGUST 2020

WK 34

Weekly Recap

Ideas

24
MONDAY

Important

To-Do

- ○
- ○
- ○
- ○
- ○
- ○
- ○
- ○
- ○
- ○

Notes

7

8

9

10

11

12 PM

1

2

3

4

5

6

7

8

9

M	T	W	T	F	S	S
					1	2
3	4	5	6	7	8	9
10	11	12	13	14	15	16
17	18	19	20	21	22	23
24	25	26	27	28	29	30
31						

25
TUESDAY

AUGUST  2020
WK 35

7

8

9

10

11

12 PM

1

2

3

4

5

6

7

8

9

Important

To-Do

○
○
○
○
○
○
○
○
○

Notes

26
WEDNESDAY

Important

To-Do

○
○
○
○
○
○
○
○
○
○

Notes

7

8

9

10

11

12 PM

1

2

3

4

5

6

7

8

9

M	T	W	T	F	S	S
					1	2
3	4	5	6	7	8	9
10	11	12	13	14	15	16
17	18	19	20	21	22	23
24	25	26	27	28	29	30
31						

27
THURSDAY

AUGUST  2020
WK 35

7

8

9

10

11

12 PM

1

2

3

4

5

6

7

8

9

Important

To-Do
- ○
- ○
- ○
- ○
- ○
- ○
- ○
- ○
- ○
- ○

Notes

28
FRIDAY

Important

To-Do

- ○
- ○
- ○
- ○
- ○
- ○
- ○
- ○
- ○
- ○

Notes

7

8

9

10

11

12 PM

1

2

3

4

5

6

7

8

9

M	T	W	T	F	S	S
					1	2
3	4	5	6	7	8	9
10	11	12	13	14	15	16
17	18	19	20	21	22	23
24	25	26	27	28	29	30
31						

29
SATURDAY

7

8

9

10

11

12 PM

1

2

3

4

5

6

7

8

9

Important

To-Do

- ○
- ○
- ○
- ○
- ○
- ○
- ○
- ○
- ○
- ○

Notes

30
SUNDAY

Important

_____

_____

_____

_____

_____

_____

_____

_____

To-Do

○ _____

○ _____

○ _____

○ _____

○ _____

○ _____

○ _____

○ _____

○ _____

○ _____

Notes

_____

_____

_____

_____

_____

_____

_____

_____

7 _____

8 _____

9 _____

10 _____

11 _____

12 PM _____

1 _____

2 _____

3 _____

4 _____

5 _____

6 _____

7 _____

8 _____

9 _____

M	T	W	T	F	S	S
					1	2
3	4	5	6	7	8	9
10	11	12	13	14	15	16
17	18	19	20	21	22	23
24	25	26	27	28	29	30
31						

AUGUST **2020**

WK **35**

Weekly Recap

Ideas

31
MONDAY

Important

To-Do

- ○
- ○
- ○
- ○
- ○
- ○
- ○
- ○
- ○
- ○

Notes

7

8

9

10

11

12 PM

1

2

3

4

5

6

7

8

9

M	T	W	T	F	S	S
	1	2	3	4	5	6
7	8	9	10	11	12	13
14	15	16	17	18	19	20
21	22	23	24	25	26	27
28	29	30				

1
TUESDAY

SEPTEMBER 2020
WK 36

7

8

9

10

11

12 PM

1

2

3

4

5

6

7

8

9

Important

To-Do

○
○
○
○
○
○
○
○
○
○

Notes

2
WEDNESDAY

Important

To-Do

- ○
- ○
- ○
- ○
- ○
- ○
- ○
- ○
- ○
- ○

Notes

7

8

9

10

11

12 PM

1

2

3

4

5

6

7

8

9

M	T	W	T	F	S	S
	1	2	3	4	5	6
7	8	9	10	11	12	13
14	15	16	17	18	19	20
21	22	23	24	25	26	27
28	29	30				

3
THURSDAY

SEPTEMBER 2020
WK 36

7

8

9

10

11

12 PM

1

2

3

4

5

6

7

8

9

Important

To-Do

○
○
○
○
○
○
○
○
○
○

Notes

4
FRIDAY

To-Do

- ○
- ○
- ○
- ○
- ○
- ○
- ○
- ○
- ○
- ○

Notes

7

8

9

10

11

12 PM

1

2

3

4

5

6

7

8

9

M	T	W	T	F	S	S
	1	2	3	4	5	6
7	8	9	10	11	12	13
14	15	16	17	18	19	20
21	22	23	24	25	26	27
28	29	30				

5
SATURDAY

SEPTEMBER  2020

WK 36

7

8

9

10

11

12 PM

1

2

3

4

5

6

7

8

9

Important

To-Do

○
○
○
○
○
○
○
○
○

Notes

6
SUNDAY

Important

To-Do
- ○
- ○
- ○
- ○
- ○
- ○
- ○
- ○
- ○
- ○

Notes

7

8

9

10

11

12 PM

1

2

3

4

5

6

7

8

9

M	T	W	T	F	S	S
	1	2	3	4	5	6
7	8	9	10	11	12	13
14	15	16	17	18	19	20
21	22	23	24	25	26	27
28	29	30				

SEPTEMBER 2020

WK 36

Weekly Recap

_____

_____

_____

_____

_____

_____

_____

_____

_____

_____

_____

_____

Ideas

_____

_____

_____

_____

_____

_____

_____

_____

_____

_____

_____

_____

_____

7

MONDAY

Important

To-Do

- ○
- ○
- ○
- ○
- ○
- ○
- ○
- ○
- ○
- ○

Notes

7

8

9

10

11

12 PM

1

2

3

4

5

6

7

8

9

M	T	W	T	F	S	S
	1	2	3	4	5	6
7	8	9	10	11	12	13
14	15	16	17	18	19	20
21	22	23	24	25	26	27
28	29	30				

8

TUESDAY

SEPTEMBER **2020**

WK 37

7

8

9

10

11

12 PM

1

2

3

4

5

6

7

8

9

Important

To-Do

- ○
- ○
- ○
- ○
- ○
- ○
- ○
- ○
- ○
- ○

Notes

9

WEDNESDAY

Important

To-Do

○

○

○

○

○

○

○

○

○

○

Notes

7

8

9

10

11

12 PM

1

2

3

4

5

6

7

8

9

M	T	W	T	F	S	S
	1	2	3	4	5	6
7	8	9	10	11	12	13
14	15	16	17	18	19	20
21	22	23	24	25	26	27
28	29	30				

 **10**
THURSDAY

 SEPTEMBER 2020
WK 37

7

8

9

10

11

12 PM

1

2

3

4

5

6

7

8

9

Important

To-Do

○
○
○
○
○
○
○
○
○
○

Notes

11
FRIDAY

Important

To-Do

- ○
- ○
- ○
- ○
- ○
- ○
- ○
- ○
- ○
- ○

Notes

7

8

9

10

11

12 PM

1

2

3

4

5

6

7

8

9

M	T	W	T	F	S	S
	1	2	3	4	5	6
7	8	9	10	11	12	13
14	15	16	17	18	19	20
21	22	23	24	25	26	27
28	29	30				

12
SATURDAY

SEPTEMBER  2020
WK 37

7

8

9

10

11

12 PM

1

2

3

4

5

6

7

8

9

Important

To-Do

○
○
○
○
○
○
○
○
○
○

Notes

13
SUNDAY

Important

To-Do
- ○
- ○
- ○
- ○
- ○
- ○
- ○
- ○
- ○
- ○

Notes

7

8

9

10

11

12 PM

1

2

3

4

5

6

7

8

9

M	T	W	T	F	S	S
	1	2	3	4	5	6
7	8	9	10	11	12	13
14	15	16	17	18	19	20
21	22	23	24	25	26	27
28	29	30				

SEPTEMBER 2020
WK 37

Weekly Recap

Ideas

14
MONDAY

Important

7

8

9

10

11

12 PM

To-Do

○

○

○

○

○

○

○

○

○

○

1

2

3

4

5

6

Notes

7

8

9

M	T	W	T	F	S	S
	1	2	3	4	5	6
7	8	9	10	11	12	13
14	15	16	17	18	19	20
21	22	23	24	25	26	27
28	29	30				

15
TUESDAY

SEPTEMBER 2020
WK 38

7

8

9

10

11

12 PM

1

2

3

4

5

6

7

8

9

Important

To-Do

○
○
○
○
○
○
○
○
○
○

Notes

16
WEDNESDAY

Important

To-Do
- ○
- ○
- ○
- ○
- ○
- ○
- ○
- ○
- ○
- ○

Notes

7

8

9

10

11

12 PM

1

2

3

4

5

6

7

8

9

M	T	W	T	F	S	S
	1	2	3	4	5	6
7	8	9	10	11	12	13
14	15	16	17	18	19	20
21	22	23	24	25	26	27
28	29	30				

17
THURSDAY

7

8

9

10

11

12 PM

1

2

3

4

5

6

7

8

9

Important

To-Do

○
○
○
○
○
○
○
○
○
○

Notes

18
FRIDAY

Important

To-Do

- ○
- ○
- ○
- ○
- ○
- ○
- ○
- ○
- ○
- ○

Notes

7

8

9

10

11

12 PM

1

2

3

4

5

6

7

8

9

M	T	W	T	F	S	S
	1	2	3	4	5	6
7	8	9	10	11	12	13
14	15	16	17	18	19	20
21	22	23	24	25	26	27
28	29	30				

19
SATURDAY

SEPTEMBER  2020

WK 38

7

8

9

10

11

12 PM

1

2

3

4

5

6

7

8

9

Important

To-Do

○
○
○
○
○
○
○
○
○
○

Notes

20
SUNDAY

Important

To-Do

- ○
- ○
- ○
- ○
- ○
- ○
- ○
- ○
- ○
- ○

Notes

7

8

9

10

11

12 PM

1

2

3

4

5

6

7

8

9

M	T	W	T	F	S	S
	1	2	3	4	5	6
7	8	9	10	11	12	13
14	15	16	17	18	19	20
21	22	23	24	25	26	27
28	29	30				

SEPTEMBER 2020
WK 38

Weekly Recap

Ideas

21
MONDAY

Important

To-Do

- ○
- ○
- ○
- ○
- ○
- ○
- ○
- ○
- ○
- ○

Notes

7

8

9

10

11

12 PM

1

2

3

4

5

6

7

8

9

M	T	W	T	F	S	S
	1	2	3	4	5	6
7	8	9	10	11	12	13
14	15	16	17	18	19	20
21	22	23	24	25	26	27
28	29	30				

22
TUESDAY

7

8

9

10

11

12 PM

1

2

3

4

5

6

7

8

9

Important

To-Do

○
○
○
○
○
○
○
○
○
○

Notes

23
WEDNESDAY

Important

To-Do

- ○
- ○
- ○
- ○
- ○
- ○
- ○
- ○
- ○
- ○

Notes

7

8

9

10

11

12 PM

1

2

3

4

5

6

7

8

9

M	T	W	T	F	S	S
	1	2	3	4	5	6
7	8	9	10	11	12	13
14	15	16	17	18	19	20
21	22	23	24	25	26	27
28	29	30				

24
THURSDAY

SEPTEMBER 2020
WK 39

7

8

9

10

11

12 PM

1

2

3

4

5

6

7

8

9

Important

To-Do
- ○
- ○
- ○
- ○
- ○
- ○
- ○
- ○
- ○
- ○

Notes

25
FRIDAY

Important

To-Do

- ○
- ○
- ○
- ○
- ○
- ○
- ○
- ○
- ○
- ○

Notes

7

8

9

10

11

12 PM

1

2

3

4

5

6

7

8

9

M	T	W	T	F	S	S
	1	2	3	4	5	6
7	8	9	10	11	12	13
14	15	16	17	18	19	20
21	22	23	24	25	26	27
28	29	30				

26
SATURDAY

SEPTEMBER  2020
WK 39

7

8

9

10

11

12 PM

1

2

3

4

5

6

7

8

9

Important

To-Do

○
○
○
○
○
○
○
○
○
○

Notes

27
SUNDAY

Important

To-Do

- ○
- ○
- ○
- ○
- ○
- ○
- ○
- ○
- ○
- ○

Notes

7

8

9

10

11

12 PM

1

2

3

4

5

6

7

8

9

M	T	W	T	F	S	S
	1	2	3	4	5	6
7	8	9	10	11	12	13
14	15	16	17	18	19	20
21	22	23	24	25	26	27
28	29	30

SEPTEMBER **2020**

WK **39**

Weekly Recap

_____
_____
_____
_____
_____
_____
_____
_____
_____
_____
_____
_____
_____
_____
_____
_____

Ideas

_____
_____
_____
_____
_____
_____
_____
_____
_____
_____
_____
_____

28
MONDAY

Important

_____
_____
_____
_____
_____
_____
_____
_____

To-Do

- ○ _____
- ○ _____
- ○ _____
- ○ _____
- ○ _____
- ○ _____
- ○ _____
- ○ _____
- ○ _____
- ○ _____

Notes

_____
_____
_____
_____
_____
_____
_____
_____

7 _____

8 _____

9 _____

10 _____

11 _____

12 PM _____

1 _____

2 _____

3 _____

4 _____

5 _____

6 _____

7 _____

8 _____

9 _____

M	T	W	T	F	S	S
	1	2	3	4	5	6
7	8	9	10	11	12	13
14	15	16	17	18	19	20
21	22	23	24	25	26	27
28	29	30				

TUESDAY

7

8

9

10

11

12 PM

1

2

3

4

5

6

7

8

9

Important

To-Do

○

○

○

○

○

○

○

○

○

○

Notes

30
WEDNESDAY

Important

_____
_____
_____
_____
_____
_____
_____
_____

To-Do

○ _____
○ _____
○ _____
○ _____
○ _____
○ _____
○ _____
○ _____
○ _____
○ _____

Notes

_____
_____
_____
_____
_____
_____
_____

7 _____

8 _____

9 _____

10 _____

11 _____

12 PM _____

1 _____

2 _____

3 _____

4 _____

5 _____

6 _____

7 _____

8 _____

9 _____

M	T	W	T	F	S	S
			1	2	3	4
5	6	7	8	9	10	11
12	13	14	15	16	17	18
19	20	21	22	23	24	25
26	27	28	29	30	31	

1
THURSDAY

7

8

9

10

11

12 PM

1

2

3

4

5

6

7

8

9

Important

To-Do

- ○
- ○
- ○
- ○
- ○
- ○
- ○
- ○
- ○

Notes

2
FRIDAY

Important

_____
_____
_____
_____
_____
_____
_____
_____
_____

To-Do

○ _____
○ _____
○ _____
○ _____
○ _____
○ _____
○ _____
○ _____
○ _____
○ _____

Notes

_____
_____
_____
_____
_____
_____
_____
_____

7 _____

8 _____

9 _____

10 _____

11 _____

12 PM _____

1 _____

2 _____

3 _____

4 _____

5 _____

6 _____

7 _____

8 _____

9 _____

M	T	W	T	F	S	S
			1	2	3	4
5	6	7	8	9	10	11
12	13	14	15	16	17	18
19	20	21	22	23	24	25
26	27	28	29	30	31	

3
SATURDAY

7

8

9

10

11

12 PM

1

2

3

4

5

6

7

8

9

Important

To-Do

- ○
- ○
- ○
- ○
- ○
- ○
- ○
- ○
- ○
- ○

Notes

4
SUNDAY

Important

To-Do

- ○
- ○
- ○
- ○
- ○
- ○
- ○
- ○
- ○
- ○

Notes

7

8

9

10

11

12 PM

1

2

3

4

5

6

7

8

9

M	T	W	T	F	S	S
			1	2	3	4
5	6	7	8	9	10	11
12	13	14	15	16	17	18
19	20	21	22	23	24	25
26	27	28	29	30	31	

OCTOBER **2020**

WK **40**

Weekly Recap

Ideas

5
MONDAY

Important

_____
_____
_____
_____
_____
_____
_____
_____
_____
_____

To-Do

- ○ _____
- ○ _____
- ○ _____
- ○ _____
- ○ _____
- ○ _____
- ○ _____
- ○ _____
- ○ _____
- ○ _____

Notes

_____
_____
_____
_____
_____
_____
_____
_____
_____

7 _____

8 _____

9 _____

10 _____

11 _____

12 PM _____

1 _____

2 _____

3 _____

4 _____

5 _____

6 _____

7 _____

8 _____

9 _____

M	T	W	T	F	S	S
			1	2	3	4
5	6	7	8	9	10	11
12	13	14	15	16	17	18
19	20	21	22	23	24	25
26	27	28	29	30	31	

6
TUESDAY

OCTOBER **2020**

WK **41**

7

8

9

10

11

12 PM

1

2

3

4

5

6

7

8

9

Important

To-Do

○
○
○
○
○
○
○
○
○

Notes

7
WEDNESDAY

Important

To-Do

- ○
- ○
- ○
- ○
- ○
- ○
- ○
- ○
- ○
- ○

Notes

7

8

9

10

11

12 PM

1

2

3

4

5

6

7

8

9

M	T	W	T	F	S	S
			1	2	3	4
5	6	7	8	9	10	11
12	13	14	15	16	17	18
19	20	21	22	23	24	25
26	27	28	29	30	31	

8
THURSDAY

OCTOBER 2020
WK 41

7

8

9

10

11

12 PM

1

2

3

4

5

6

7

8

9

Important

To-Do

○
○
○
○
○
○
○
○
○
○

Notes

9
FRIDAY

Important

To-Do
- ○
- ○
- ○
- ○
- ○
- ○
- ○
- ○
- ○
- ○

Notes

7

8

9

10

11

12 PM

1

2

3

4

5

6

7

8

9

M	T	W	T	F	S	S
			1	2	3	4
5	6	7	8	9	10	11
12	13	14	15	16	17	18
19	20	21	22	23	24	25
26	27	28	29	30	31	

10
SATURDAY

7

8

9

10

11

12 PM

1

2

3

4

5

6

7

8

9

Important

To-Do

○
○
○
○
○
○
○
○
○
○

Notes

11
SUNDAY

Important

_____
_____
_____
_____
_____
_____
_____
_____
_____

To-Do

○ _____
○ _____
○ _____
○ _____
○ _____
○ _____
○ _____
○ _____
○ _____
○ _____

Notes

_____
_____
_____
_____
_____
_____

7 _____

8 _____

9 _____

10 _____

11 _____

12 PM _____

1 _____

2 _____

3 _____

4 _____

5 _____

6 _____

7 _____

8 _____

9 _____

M	T	W	T	F	S	S
			1	2	3	4
5	6	7	8	9	10	11
12	13	14	15	16	17	18
19	20	21	22	23	24	25
26	27	28	29	30	31	

OCTOBER **2020**

WK **41**

Weekly Recap

Ideas

12
MONDAY

Important

To-Do

- ○
- ○
- ○
- ○
- ○
- ○
- ○
- ○
- ○
- ○

Notes

7

8

9

10

11

12 PM

1

2

3

4

5

6

7

8

9

M	T	W	T	F	S	S
			1	2	3	4
5	6	7	8	9	10	11
12	13	14	15	16	17	18
19	20	21	22	23	24	25
26	27	28	29	30	31	

13
TUESDAY

OCTOBER  2020

WK *42*

7

8

9

10

11

12 PM

1

2

3

4

5

6

7

8

9

Important

To-Do

○
○
○
○
○
○
○
○
○
○

Notes

14
WEDNESDAY

Important

To-Do

- ○
- ○
- ○
- ○
- ○
- ○
- ○
- ○
- ○
- ○

Notes

7

8

9

10

11

12 PM

1

2

3

4

5

6

7

8

9

M	T	W	T	F	S	S
			1	2	3	4
5	6	7	8	9	10	11
12	13	14	15	16	17	18
19	20	21	22	23	24	25
26	27	28	29	30	31	

15
THURSDAY

7

8

9

10

11

12 PM

1

2

3

4

5

6

7

8

9

Important

To-Do

○
○
○
○
○
○
○
○
○
○

Notes

16
FRIDAY

Important

To-Do

- ○
- ○
- ○
- ○
- ○
- ○
- ○
- ○
- ○
- ○

Notes

7

8

9

10

11

12 PM

1

2

3

4

5

6

7

8

9

M	T	W	T	F	S	S
			1	2	3	4
5	6	7	8	9	10	11
12	13	14	15	16	17	18
19	20	21	22	23	24	25
26	27	28	29	30	31	

17
SATURDAY

OCTOBER  2020
WK 42

7

8

9

10

11

12 PM

1

2

3

4

5

6

7

8

9

Important

To-Do

○
○
○
○
○
○
○
○
○

Notes

18
SUNDAY

Important

To-Do
- ○
- ○
- ○
- ○
- ○
- ○
- ○
- ○
- ○
- ○

Notes

7

8

9

10

11

12 PM

1

2

3

4

5

6

7

8

9

M	T	W	T	F	S	S
			1	2	3	4
5	6	7	8	9	10	11
12	13	14	15	16	17	18
19	20	21	22	23	24	25
26	27	28	29	30	31	

OCTOBER **2020**

WK **42**

Weekly Recap

_____
_____
_____
_____
_____
_____
_____
_____
_____
_____
_____
_____
_____
_____
_____
_____

Ideas

_____
_____
_____
_____
_____
_____
_____
_____
_____
_____
_____
_____

19
MONDAY

Important

To-Do

- ○
- ○
- ○
- ○
- ○
- ○
- ○
- ○
- ○
- ○

Notes

7

8

9

10

11

12 PM

1

2

3

4

5

6

7

8

9

M	T	W	T	F	S	S
			1	2	3	4
5	6	7	8	9	10	11
12	13	14	15	16	17	18
19	20	21	22	23	24	25
26	27	28	29	30	31	

20
TUESDAY

OCTOBER 2020

WK 43

7

8

9

10

11

12 PM

1

2

3

4

5

6

7

8

9

Important

To-Do

○
○
○
○
○
○
○
○
○
○

Notes

21
WEDNESDAY

Important

To-Do

- ○
- ○
- ○
- ○
- ○
- ○
- ○
- ○
- ○
- ○

Notes

7

8

9

10

11

12 PM

1

2

3

4

5

6

7

8

9

M	T	W	T	F	S	S
			1	2	3	4
5	6	7	8	9	10	11
12	13	14	15	16	17	18
19	20	21	22	23	24	25
26	27	28	29	30	31	

22
THURSDAY

OCTOBER 2020
WK 43

7

8

9

10

11

12 PM

1

2

3

4

5

6

7

8

9

Important

To-Do

○
○
○
○
○
○
○
○
○
○

Notes

23
FRIDAY

Important

7

8

9

10

11

12 PM

To-Do

○

○

○

○

○

○

○

○

○

○

1

2

3

4

5

6

Notes

7

8

9

M	T	W	T	F	S	S
			1	2	3	4
5	6	7	8	9	10	11
12	13	14	15	16	17	18
19	20	21	22	23	24	25
26	27	28	29	30	31	

24
SATURDAY

OCTOBER  2020
WK 43

7

8

9

10

11

12 PM

1

2

3

4

5

6

7

8

9

Important

To-Do

○
○
○
○
○
○
○
○
○
○

Notes

25
SUNDAY

Important

To-Do

- ○
- ○
- ○
- ○
- ○
- ○
- ○
- ○
- ○
- ○

Notes

7

8

9

10

11

12 PM

1

2

3

4

5

6

7

8

9

M	T	W	T	F	S	S
			1	2	3	4
5	6	7	8	9	10	11
12	13	14	15	16	17	18
19	20	21	22	23	24	25
26	27	28	29	30	31	

OCTOBER **2020**

WK **43**

Weekly Recap

_____
_____
_____
_____
_____
_____
_____
_____
_____
_____
_____
_____
_____
_____
_____

Ideas

_____
_____
_____
_____
_____
_____
_____
_____
_____
_____
_____
_____

26
MONDAY

Important

To-Do

- ○
- ○
- ○
- ○
- ○
- ○
- ○
- ○
- ○
- ○

Notes

7

8

9

10

11

12 PM

1

2

3

4

5

6

7

8

9

M	T	W	T	F	S	S
			1	2	3	4
5	6	7	8	9	10	11
12	13	14	15	16	17	18
19	20	21	22	23	24	25
26	27	28	29	30	31	

27
TUESDAY

7

8

9

10

11

12 PM

1

2

3

4

5

6

7

8

9

Important

To-Do
- ○
- ○
- ○
- ○
- ○
- ○
- ○
- ○
- ○
- ○

Notes

28
WEDNESDAY

Important

To-Do

- ○
- ○
- ○
- ○
- ○
- ○
- ○
- ○
- ○
- ○

Notes

7

8

9

10

11

12 PM

1

2

3

4

5

6

7

8

9

M	T	W	T	F	S	S
			1	2	3	4
5	6	7	8	9	10	11
12	13	14	15	16	17	18
19	20	21	22	23	24	25
26	27	28	29	30	31	

29
THURSDAY

OCTOBER **2020**

WK **44**

7

8

9

10

11

12 PM

1

2

3

4

5

6

7

8

9

Important

To-Do

○
○
○
○
○
○
○
○
○

Notes

30
FRIDAY

Important

To-Do

- ○
- ○
- ○
- ○
- ○
- ○
- ○
- ○
- ○
- ○

Notes

7

8

9

10

11

12 PM

1

2

3

4

5

6

7

8

9

M	T	W	T	F	S	S
			1	2	3	4
5	6	7	8	9	10	11
12	13	14	15	16	17	18
19	20	21	22	23	24	25
26	27	28	29	30	31	

31
SATURDAY

OCTOBER 2020

WK 44

7

8

9

10

11

12 PM

1

2

3

4

5

6

7

8

9

Important

To Do

○

○

○

○

○

○

○

○

○

Notes

1
SUNDAY

Important

To-Do

○
○
○
○
○
○
○
○
○
○

Notes

7

8

9

10

11

12 PM

1

2

3

4

5

6

7

8

9

M	T	W	T	F	S	S
						1
2	3	4	5	6	7	8
9	10	11	12	13	14	15
16	17	18	19	20	21	22
23	24	25	26	27	28	29
30						

NOVEMBER 2020

WK **44**

Weekly Recap

_____
_____
_____
_____
_____
_____
_____
_____
_____
_____
_____
_____
_____

Ideas

_____
_____
_____
_____
_____
_____
_____
_____
_____
_____
_____
_____

2
MONDAY

Important

_____
_____
_____
_____
_____
_____
_____
_____

To-Do

○ _____
○ _____
○ _____
○ _____
○ _____
○ _____
○ _____
○ _____
○ _____
○ _____

Notes

_____
_____
_____
_____
_____
_____
_____
_____

7 _____

8 _____

9 _____

10 _____

11 _____

12 PM _____

1 _____

2 _____

3 _____

4 _____

5 _____

6 _____

7 _____

8 _____

9 _____

M	T	W	T	F	S	S
						1
2	3	4	5	6	7	8
9	10	11	12	13	14	15
16	17	18	19	20	21	22
23	24	25	26	27	28	29
30						

3
TUESDAY

NOVEMBER **2020**
WK 45

7

8

9

10

11

12 PM

1

2

3

4

5

6

7

8

9

Important

To-Do

○
○
○
○
○
○
○
○
○
○

Notes

4
WEDNESDAY

Important

_____
_____
_____
_____
_____
_____
_____
_____
_____

To-Do

○ _____
○ _____
○ _____
○ _____
○ _____
○ _____
○ _____
○ _____
○ _____
○ _____

Notes

_____
_____
_____
_____
_____
_____
_____

7 _____

8 _____

9 _____

10 _____

11 _____

12 PM _____

1 _____

2 _____

3 _____

4 _____

5 _____

6 _____

7 _____

8 _____

9 _____

M	T	W	T	F	S	S
						1
2	3	4	5	6	7	8
9	10	11	12	13	14	15
16	17	18	19	20	21	22
23	24	25	26	27	28	29
30						

5
THURSDAY

NOVEMBER 2020

WK **45**

7

8

9

10

11

12 PM

1

2

3

4

5

6

7

8

9

Important

To-Do

○
○
○
○
○
○
○
○
○
○

Notes

6
FRIDAY

Important

To-Do

- ○
- ○
- ○
- ○
- ○
- ○
- ○
- ○
- ○
- ○

Notes

7

8

9

10

11

12 PM

1

2

3

4

5

6

7

8

9

M	T	W	T	F	S	S
						1
2	3	4	5	6	7	8
9	10	11	12	13	14	15
16	17	18	19	20	21	22
23	24	25	26	27	28	29
30						

7
SATURDAY

7

8

9

10

11

12 PM

1

2

3

4

5

6

7

8

9

Important

To-Do

○
○
○
○
○
○
○
○
○
○

Notes

8
SUNDAY

Important

To-Do
- ○
- ○
- ○
- ○
- ○
- ○
- ○
- ○
- ○
- ○

Notes

7

8

9

10

11

12 PM

1

2

3

4

5

6

7

8

9

M	T	W	T	F	S	S
						1
2	3	4	5	6	7	8
9	10	11	12	13	14	15
16	17	18	19	20	21	22
23	24	25	26	27	28	29
30						

NOVEMBER 2020
WK 45

Weekly Recap

Ideas

9

MONDAY

Important

To-Do

- ○
- ○
- ○
- ○
- ○
- ○
- ○
- ○
- ○
- ○

Notes

7

8

9

10

11

12 PM

1

2

3

4

5

6

7

8

9

M	T	W	T	F	S	S
						1
2	3	4	5	6	7	8
9	10	11	12	13	14	15
16	17	18	19	20	21	22
23	24	25	26	27	28	29
30						

10
TUESDAY

NOVEMBER 2020
WK 46

7

8

9

10

11

12 PM

1

2

3

4

5

6

7

8

9

Important

To-Do

○
○
○
○
○
○
○
○
○
○

Notes

11
WEDNESDAY

Important

_____
_____
_____
_____
_____
_____
_____
_____

To-Do

○ _____
○ _____
○ _____
○ _____
○ _____
○ _____
○ _____
○ _____
○ _____
○ _____

Notes

_____
_____
_____
_____
_____
_____
_____

7 _____

8 _____

9 _____

10 _____

11 _____

12 PM _____

1 _____

2 _____

3 _____

4 _____

5 _____

6 _____

7 _____

8 _____

9 _____

M	T	W	T	F	S	S
						1
2	3	4	5	6	7	8
9	10	11	12	13	14	15
16	17	18	19	20	21	22
23	24	25	26	27	28	29
30						

12
THURSDAY

NOVEMBER 2020
WK 46

7

8

9

10

11

12 PM

1

2

3

4

5

6

7

8

9

Important

To-Do

- ○
- ○
- ○
- ○
- ○
- ○
- ○
- ○
- ○
- ○

Notes

13
FRIDAY

Important

To-Do

○
○
○
○
○
○
○
○
○
○

Notes

7

8

9

10

11

12 PM

1

2

3

4

5

6

7

8

9

14
SATURDAY

7

8

9

10

11

12 PM

1

2

3

4

5

6

7

8

9

Important

To-Do

- ○
- ○
- ○
- ○
- ○
- ○
- ○
- ○
- ○
- ○

Notes

15
SUNDAY

Important

To-Do
- ○
- ○
- ○
- ○
- ○
- ○
- ○
- ○
- ○
- ○

Notes

7

8

9

10

11

12 PM

1

2

3

4

5

6

7

8

9

M	T	W	T	F	S	S
						1
2	3	4	5	6	7	8
9	10	11	12	13	14	15
16	17	18	19	20	21	22
23	24	25	26	27	28	29
30						

NOVEMBER **2020**

WK *46*

Weekly Recap

Ideas

16
MONDAY

Important

To-Do
- ○
- ○
- ○
- ○
- ○
- ○
- ○
- ○
- ○
- ○

Notes

7

8

9

10

11

12 PM

1

2

3

4

5

6

7

8

9

M	T	W	T	F	S	S
						1
2	3	4	5	6	7	8
9	10	11	12	13	14	15
16	17	18	19	20	21	22
23	24	25	26	27	28	29
30						

17
TUESDAY

NOVEMBER 2020
WK 47

7

8

9

10

11

12 PM

1

2

3

4

5

6

7

8

9

Important

To-Do

○

○

○

○

○

○

○

○

○

Notes

18
WEDNESDAY

Important

To-Do

- ○
- ○
- ○
- ○
- ○
- ○
- ○
- ○
- ○
- ○

Notes

7

8

9

10

11

12 PM

1

2

3

4

5

6

7

8

9

19
THURSDAY

7

8

9

10

11

12 PM

1

2

3

4

5

6

7

8

9

Important

To-Do

○
○
○
○
○
○
○
○
○
○

Notes

20
FRIDAY

Important

To-Do

- ○
- ○
- ○
- ○
- ○
- ○
- ○
- ○
- ○
- ○

Notes

7

8

9

10

11

12 PM

1

2

3

4

5

6

7

8

9

M	T	W	T	F	S	S
						1
2	3	4	5	6	7	8
9	10	11	12	13	14	15
16	17	18	19	20	21	22
23	24	25	26	27	28	29
30						

21
SATURDAY

NOVEMBER 2020
WK 47

7

8

9

10

11

12 PM

1

2

3

4

5

6

7

8

9

Important

To-Do

○
○
○
○
○
○
○
○
○
○

Notes

22
SUNDAY

Important

To-Do

- ○
- ○
- ○
- ○
- ○
- ○
- ○
- ○
- ○
- ○

Notes

7

8

9

10

11

12 PM

1

2

3

4

5

6

7

8

9

M	T	W	T	F	S	S
						1
2	3	4	5	6	7	8
9	10	11	12	13	14	15
16	17	18	19	20	21	22
23	24	25	26	27	28	29
30						

Weekly Recap

Ideas

23
MONDAY

Important

To-Do

- ○
- ○
- ○
- ○
- ○
- ○
- ○
- ○
- ○
- ○

Notes

7

8

9

10

11

12 PM

1

2

3

4

5

6

7

8

9

M	T	W	T	F	S	S
						1
2	3	4	5	6	7	8
9	10	11	12	13	14	15
16	17	18	19	20	21	22
23	24	25	26	27	28	29
30						

24
TUESDAY

NOVEMBER  2020
WK 48

7

8

9

10

11

12 PM

1

2

3

4

5

6

7

8

9

Important

To-Do
- ○
- ○
- ○
- ○
- ○
- ○
- ○
- ○
- ○
- ○

Notes

25
WEDNESDAY

Important

To-Do
- ○
- ○
- ○
- ○
- ○
- ○
- ○
- ○
- ○
- ○

Notes

7

8

9

10

11

12 PM

1

2

3

4

5

6

7

8

9

26
THURSDAY

7

8

9

10

11

12 PM

1

2

3

4

5

6

7

8

9

Important

To-Do

- ○
- ○
- ○
- ○
- ○
- ○
- ○
- ○
- ○
- ○

Notes

27
FRIDAY

Important

To-Do

- ○
- ○
- ○
- ○
- ○
- ○
- ○
- ○
- ○
- ○

Notes

7

8

9

10

11

12 PM

1

2

3

4

5

6

7

8

9

M	T	W	T	F	S	S
						1
2	3	4	5	6	7	8
9	10	11	12	13	14	15
16	17	18	19	20	21	22
23	24	25	26	27	28	29
30						

28
SATURDAY

NOVEMBER 2020
WK 48

7

8

9

10

11

12 PM

1

2

3

4

5

6

7

8

9

Important

To-Do

○
○
○
○
○
○
○
○
○
○

Notes

29
SUNDAY

Important

To-Do

- ○
- ○
- ○
- ○
- ○
- ○
- ○
- ○
- ○
- ○

Notes

7

8

9

10

11

12 PM

1

2

3

4

5

6

7

8

9

M	T	W	T	F	S	S
						1
2	3	4	5	6	7	8
9	10	11	12	13	14	15
16	17	18	19	20	21	22
23	24	25	26	27	28	29
30						

NOVEMBER 2020
WK 48

Weekly Recap

Ideas

30
MONDAY

Important

To-Do

- ○
- ○
- ○
- ○
- ○
- ○
- ○
- ○
- ○
- ○

Notes

7

8

9

10

11

12 PM

1

2

3

4

5

6

7

8

9

M	T	W	T	F	S	S
	1	2	3	4	5	6
7	8	9	10	11	12	13
14	15	16	17	18	19	20
21	22	23	24	25	26	27
28	29	30	31			

1
TUESDAY

7

8

9

10

11

12 PM

1

2

3

4

5

6

7

8

9

Important

To-Do

○
○
○
○
○
○
○
○
○
○

Notes

2
WEDNESDAY

Important

To-Do
- ○
- ○
- ○
- ○
- ○
- ○
- ○
- ○
- ○
- ○

Notes

7

8

9

10

11

12 PM

1

2

3

4

5

6

7

8

9

M	T	W	T	F	S	S
	1	2	3	4	5	6
7	8	9	10	11	12	13
14	15	16	17	18	19	20
21	22	23	24	25	26	27
28	29	30	31			

3
THURSDAY

DECEMBER  **2020**

WK _49_

7

8

9

10

11

12 PM

1

2

3

4

5

6

7

8

9

Important

To-Do

○
○
○
○
○
○
○
○
○
○

Notes

4
FRIDAY

Important

To-Do

- ○
- ○
- ○
- ○
- ○
- ○
- ○
- ○
- ○
- ○

Notes

7

8

9

10

11

12 PM

1

2

3

4

5

6

7

8

9

M	T	W	T	F	S	S
	1	2	3	4	5	6
7	8	9	10	11	12	13
14	15	16	17	18	19	20
21	22	23	24	25	26	27
28	29	30	31			

5
SATURDAY

DECEMBER  2020

WK 49

7

8

9

10

11

12 PM

1

2

3

4

5

6

7

8

9

Important

To-Do

○
○
○
○
○
○
○
○
○
○

Notes

6
SUNDAY

Important

To-Do
- ○
- ○
- ○
- ○
- ○
- ○
- ○
- ○
- ○
- ○

Notes

7

8

9

10

11

12 PM

1

2

3

4

5

6

7

8

9

M	T	W	T	F	S	S
	1	2	3	4	5	6
7	8	9	10	11	12	13
14	15	16	17	18	19	20
21	22	23	24	25	26	27
28	29	30	31			

DECEMBER 2020

WK 49

Weekly Recap

_____
_____
_____
_____
_____
_____
_____
_____
_____
_____
_____
_____
_____
_____
_____

Ideas

_____
_____
_____
_____
_____
_____
_____
_____
_____
_____
_____
_____

7
MONDAY

Important

To-Do

- ○
- ○
- ○
- ○
- ○
- ○
- ○
- ○
- ○
- ○

Notes

7

8

9

10

11

12 PM

1

2

3

4

5

6

7

8

9

M	T	W	T	F	S	S
	1	2	3	4	5	6
7	8	9	10	11	12	13
14	15	16	17	18	19	20
21	22	23	24	25	26	27
28	29	30	31			

8
TUESDAY

DECEMBER 2020
WK 50

7

8

9

10

11

12 PM

1

2

3

4

5

6

7

8

9

Important

To-Do

○
○
○
○
○
○
○
○
○
○

Notes

9
WEDNESDAY

Important

To-Do

- ○
- ○
- ○
- ○
- ○
- ○
- ○
- ○
- ○
- ○

Notes

7

8

9

10

11

12 PM

1

2

3

4

5

6

7

8

9

M	T	W	T	F	S	S
	1	2	3	4	5	6
7	8	9	10	11	12	13
14	15	16	17	18	19	20
21	22	23	24	25	26	27
28	29	30	31			

10
THURSDAY

DECEMBER 2020

WK 50

7

8

9

10

11

12 PM

1

2

3

4

5

6

7

8

9

Important

To-Do

○
○
○
○
○
○
○
○
○
○

Notes

11
FRIDAY

Important

_____
_____
_____
_____
_____
_____
_____

To-Do

○ _____
○ _____
○ _____
○ _____
○ _____
○ _____
○ _____
○ _____
○ _____
○ _____

Notes

_____
_____
_____
_____
_____
_____
_____
_____

7 _____

8 _____

9 _____

10 _____

11 _____

12 PM _____

1 _____

2 _____

3 _____

4 _____

5 _____

6 _____

7 _____

8 _____

9 _____

M	T	W	T	F	S	S
	1	2	3	4	5	6
7	8	9	10	11	12	13
14	15	16	17	18	19	20
21	22	23	24	25	26	27
28	29	30	31			

12
SATURDAY

7

8

9

10

11

12 PM

1

2

3

4

5

6

7

8

9

Important

To-Do

○
○
○
○
○
○
○
○
○
○

Notes

13
SUNDAY

Important

To-Do

○
○
○
○
○
○
○
○
○
○

Notes

7

8

9

10

11

12 PM

1

2

3

4

5

6

7

8

9

M	T	W	T	F	S	S
	1	2	3	4	5	6
7	8	9	10	11	12	13
14	15	16	17	18	19	20
21	22	23	24	25	26	27
28	29	30	31			

DECEMBER **2020**

WK **50**

Weekly Recap

Ideas

14
MONDAY

Important

To-Do

- ○
- ○
- ○
- ○
- ○
- ○
- ○
- ○
- ○
- ○

Notes

7

8

9

10

11

12 PM

1

2

3

4

5

6

7

8

9

M	T	W	T	F	S	S
	1	2	3	4	5	6
7	8	9	10	11	12	13
14	15	16	17	18	19	20
21	22	23	24	25	26	27
28	29	30	31			

15
TUESDAY

DECEMBER  **2020**
WK 51

7

8

9

10

11

12 PM

1

2

3

4

5

6

7

8

9

Important

To-Do

○
○
○
○
○
○
○
○
○

Notes

16
WEDNESDAY

Important

To-Do

- ○
- ○
- ○
- ○
- ○
- ○
- ○
- ○
- ○
- ○

Notes

7

8

9

10

11

12 PM

1

2

3

4

5

6

7

8

9

M	T	W	T	F	S	S
	1	2	3	4	5	6
7	8	9	10	11	12	13
14	15	16	17	18	19	20
21	22	23	24	25	26	27
28	29	30	31			

17
THURSDAY

7

8

9

10

11

12 PM

1

2

3

4

5

6

7

8

9

Important

To-Do

○
○
○
○
○
○
○
○
○

Notes

18
FRIDAY

Important

To-Do

- ○
- ○
- ○
- ○
- ○
- ○
- ○
- ○
- ○
- ○

Notes

7

8

9

10

11

12 PM

1

2

3

4

5

6

7

8

9

M	T	W	T	F	S	S
	1	2	3	4	5	6
7	8	9	10	11	12	13
14	15	16	17	18	19	20
21	22	23	24	25	26	27
28	29	30	31			

19
SATURDAY

DECEMBER 2020
WK 51

7

8

9

10

11

12 PM

1

2

3

4

5

6

7

8

9

Important

To-Do

○
○
○
○
○
○
○
○
○
○

Notes

20
SUNDAY

Important

To-Do

- ○
- ○
- ○
- ○
- ○
- ○
- ○
- ○
- ○
- ○

Notes

7

8

9

10

11

12 PM

1

2

3

4

5

6

7

8

9

M	T	W	T	F	S	S
	1	2	3	4	5	6
7	8	9	10	11	12	13
14	15	16	17	18	19	20
21	22	23	24	25	26	27
28	29	30	31			

DECEMBER **2020**

WK 51

Weekly Recap

Ideas

21
MONDAY

Important

To-Do

- ◯
- ◯
- ◯
- ◯
- ◯
- ◯
- ◯
- ◯
- ◯
- ◯

Notes

7

8

9

10

11

12 PM

1

2

3

4

5

6

7

8

9

M	T	W	T	F	S	S
	1	2	3	4	5	6
7	8	9	10	11	12	13
14	15	16	17	18	19	20
21	22	23	24	25	26	27
28	29	30	31			

22
TUESDAY

7

8

9

10

11

12 PM

1

2

3

4

5

6

7

8

9

Important

To-Do

○

○

○

○

○

○

○

○

○

○

Notes

23
WEDNESDAY

Important

_____
_____
_____
_____
_____
_____
_____
_____

To-Do

○ _____
○ _____
○ _____
○ _____
○ _____
○ _____
○ _____
○ _____
○ _____
○ _____

Notes

_____
_____
_____
_____
_____
_____
_____

7 _____

8 _____

9 _____

10 _____

11 _____

12 PM _____

1 _____

2 _____

3 _____

4 _____

5 _____

6 _____

7 _____

8 _____

9 _____

M	T	W	T	F	S	S
	1	2	3	4	5	6
7	8	9	10	11	12	13
14	15	16	17	18	19	20
21	22	23	24	25	26	27
28	29	30	31			

24
THURSDAY

DECEMBER **2020**

WK 52

7

8

9

10

11

12 PM

1

2

3

4

5

6

7

8

9

Important

To-Do

○
○
○
○
○
○
○
○
○
○

Notes

25
FRIDAY

Important

_____
_____
_____
_____
_____
_____
_____
_____

To-Do

○ _____
○ _____
○ _____
○ _____
○ _____
○ _____
○ _____
○ _____
○ _____
○ _____

Notes

_____
_____
_____
_____
_____
_____
_____

7 _____

8 _____

9 _____

10 _____

11 _____

12 PM _____

1 _____

2 _____

3 _____

4 _____

5 _____

6 _____

7 _____

8 _____

9 _____

M	T	W	T	F	S	S
	1	2	3	4	5	6
7	8	9	10	11	12	13
14	15	16	17	18	19	20
21	22	23	24	25	26	27
28	29	30	31			

26
SATURDAY

DECEMBER 2020

WK 52

7

8

9

10

11

12 PM

1

2

3

4

5

6

7

8

9

Important

To-Do

○
○
○
○
○
○
○
○
○
○

Notes

27
SUNDAY

Important

To-Do
- ○
- ○
- ○
- ○
- ○
- ○
- ○
- ○
- ○
- ○

Notes

7

8

9

10

11

12 PM

1

2

3

4

5

6

7

8

9

M	T	W	T	F	S	S
	1	2	3	4	5	6
7	8	9	10	11	12	13
14	15	16	17	18	19	20
21	22	23	24	25	26	27
28	29	30	31			

DECEMBER 2020

WK 52

Weekly Recap

Ideas

28
MONDAY

Important

To-Do

- ○
- ○
- ○
- ○
- ○
- ○
- ○
- ○
- ○
- ○

Notes

7

8

9

10

11

12 PM

1

2

3

4

5

6

7

8

9

M	T	W	T	F	S	S
	1	2	3	4	5	6
7	8	9	10	11	12	13
14	15	16	17	18	19	20
21	22	23	24	25	26	27
28	29	30	31			

29
TUESDAY

DECEMBER 2020

WK 53

7

8

9

10

11

12 PM

1

2

3

4

5

6

7

8

9

Important

To-Do

○
○
○
○
○
○
○
○
○
○

Notes

30
WEDNESDAY

Important

To-Do

- ○
- ○
- ○
- ○
- ○
- ○
- ○
- ○
- ○
- ○

Notes

7

8

9

10

11

12 PM

1

2

3

4

5

6

7

8

9

	M	T	W	T	F	S	S
		1	2	3	4	5	6
	7	8	9	10	11	12	13
	14	15	16	17	18	19	20
	21	22	23	24	25	26	27
	28	29	30	31			

31
THURSDAY

DECEMBER **2020**
WK 53

7

8

9

10

11

12 PM

1

2

3

4

5

6

7

8

9

Important

To-Do

- ○
- ○
- ○
- ○
- ○
- ○
- ○
- ○
- ○
- ○

Notes

1
FRIDAY

Important

To-Do

- ○
- ○
- ○
- ○
- ○
- ○
- ○
- ○
- ○
- ○

Notes

7

8

9

10

11

12 PM

1

2

3

4

5

6

7

8

9

M	T	W	T	F	S	S
				1	2	3
4	5	6	7	8	9	10
11	12	13	14	15	16	17
18	19	20	21	22	23	24
25	26	27	28	29	30	31

2
SATURDAY

JANUARY **2021**

WK 53

7

8

9

10

11

12 PM

1

2

3

4

5

6

7

8

9

Important

To-Do

- ○
- ○
- ○
- ○
- ○
- ○
- ○
- ○
- ○
- ○

Notes

3
SUNDAY

Important

To-Do

- ○
- ○
- ○
- ○
- ○
- ○
- ○
- ○
- ○
- ○

Notes

7

8

9

10

11

12 PM

1

2

3

4

5

6

7

8

9

M	T	W	T	F	S	S
				1	2	3
4	5	6	7	8	9	10
11	12	13	14	15	16	17
18	19	20	21	22	23	24
25	26	27	28	29	30	31

JANUARY **2021**

WK 53

Weekly Recap

Ideas

4
MONDAY

Important

_____
_____
_____
_____
_____
_____
_____
_____

To-Do

○ _____
○ _____
○ _____
○ _____
○ _____
○ _____
○ _____
○ _____
○ _____
○ _____

Notes

_____
_____
_____
_____
_____
_____
_____

7 _____

8 _____

9 _____

10 _____

11 _____

12 PM _____

1 _____

2 _____

3 _____

4 _____

5 _____

6 _____

7 _____

8 _____

9 _____

M	T	W	T	F	S	S
				1	2	3
4	5	6	7	8	9	10
11	12	13	14	15	16	17
18	19	20	21	22	23	24
25	26	27	28	29	30	31

5
TUESDAY

JANUARY 2021
WK 1

7

8

9

10

11

12 PM

1

2

3

4

5

6

7

8

9

Important

To-Do
- ○
- ○
- ○
- ○
- ○
- ○
- ○
- ○
- ○
- ○

Notes

6
WEDNESDAY

Important

_____
_____
_____
_____
_____
_____
_____

To-Do

○ _____
○ _____
○ _____
○ _____
○ _____
○ _____
○ _____
○ _____
○ _____
○ _____

Notes

_____
_____
_____
_____
_____
_____
_____

7 _____

8 _____

9 _____

10 _____

11 _____

12 PM _____

1 _____

2 _____

3 _____

4 _____

5 _____

6 _____

7 _____

8 _____

9 _____

M	T	W	T	F	S	S
				1	2	3
4	5	6	7	8	9	10
11	12	13	14	15	16	17
18	19	20	21	22	23	24
25	26	27	28	29	30	31

7
THURSDAY

7

8

9

10

11

12 PM

1

2

3

4

5

6

7

8

9

Important

To-Do

- ○
- ○
- ○
- ○
- ○
- ○
- ○
- ○
- ○
- ○

Notes

8
FRIDAY

Important

To-Do
- ○
- ○
- ○
- ○
- ○
- ○
- ○
- ○
- ○
- ○

Notes

7

8

9

10

11

12 PM

1

2

3

4

5

6

7

8

9

M	T	W	T	F	S	S
				1	2	3
4	5	6	7	8	9	10
11	12	13	14	15	16	17
18	19	20	21	22	23	24
25	26	27	28	29	30	31

9
SATURDAY

JANUARY 2021
WK 1

7

8

9

10

11

12 PM

1

2

3

4

5

6

7

8

9

Important

To-Do

○
○
○
○
○
○
○
○
○
○

Notes

10
SUNDAY

Important

_____
_____
_____
_____
_____
_____
_____
_____
_____
_____

To-Do

○ _____
○ _____
○ _____
○ _____
○ _____
○ _____
○ _____
○ _____
○ _____
○ _____

Notes

_____
_____
_____
_____
_____
_____
_____

7
_____

8
_____

9
_____

10
_____

11
_____

12 PM
_____

1
_____

2
_____

3
_____

4
_____

5
_____

6
_____

7
_____

8
_____

9
_____
_____
_____

M	T	W	T	F	S	S
				1	2	3
4	5	6	7	8	9	10
11	12	13	14	15	16	17
18	19	20	21	22	23	24
25	26	27	28	29	30	31

JANUARY **2021**

WK **1**

Weekly Recap

Ideas

11
MONDAY

Important

To-Do
- ○
- ○
- ○
- ○
- ○
- ○
- ○
- ○
- ○
- ○

Notes

7

8

9

10

11

12 PM

1

2

3

4

5

6

7

8

9

M	T	W	T	F	S	S
				1	2	3
4	5	6	7	8	9	10
11	12	13	14	15	16	17
18	19	20	21	22	23	24
25	26	27	28	29	30	31

12
TUESDAY

JANUARY 2021

WK 2

7

8

9

10

11

12 PM

1

2

3

4

5

6

7

8

9

Important

To-Do

○
○
○
○
○
○
○
○
○
○

Notes

13
WEDNESDAY

Important

To-Do

- ○
- ○
- ○
- ○
- ○
- ○
- ○
- ○
- ○
- ○

Notes

7

8

9

10

11

12 PM

1

2

3

4

5

6

7

8

9

M	T	W	T	F	S	S
				1	2	3
4	5	6	7	8	9	10
11	12	13	14	15	16	17
18	19	20	21	22	23	24
25	26	27	28	29	30	31

14
THURSDAY

JANUARY  2021
WK 2

7

8

9

10

11

12 PM

1

2

3

4

5

6

7

8

9

Important

To-Do
- ○
- ○
- ○
- ○
- ○
- ○
- ○
- ○
- ○
- ○

Notes

15
FRIDAY

Important

To-Do

- ○
- ○
- ○
- ○
- ○
- ○
- ○
- ○
- ○
- ○

Notes

7

8

9

10

11

12 PM

1

2

3

4

5

6

7

8

9

M	T	W	T	F	S	S
				1	2	3
4	5	6	7	8	9	10
11	12	13	14	15	16	17
18	19	20	21	22	23	24
25	26	27	28	29	30	31

16
SATURDAY

JANUARY 2021
WK 2

7

8

9

10

11

12 PM

1

2

3

4

5

6

7

8

9

Important

To-Do

○
○
○
○
○
○
○
○
○
○

Notes

17
SUNDAY

Important

To-Do
- ○
- ○
- ○
- ○
- ○
- ○
- ○
- ○
- ○
- ○

Notes

7

8

9

10

11

12 PM

1

2

3

4

5

6

7

8

9

M	T	W	T	F	S	S
				1	2	3
4	5	6	7	8	9	10
11	12	13	14	15	16	17
18	19	20	21	22	23	24
25	26	27	28	29	30	31

JANUARY **2021**

WK 2

Weekly Recap

_____
_____
_____
_____
_____
_____
_____
_____
_____
_____
_____
_____
_____
_____
_____
_____

Ideas

_____
_____
_____
_____
_____
_____
_____
_____
_____
_____
_____
_____
_____
_____

18
MONDAY

Important

To-Do

- ○
- ○
- ○
- ○
- ○
- ○
- ○
- ○
- ○
- ○

Notes

7

8

9

10

11

12 PM

1

2

3

4

5

6

7

8

9

M	T	W	T	F	S	S
				1	2	3
4	5	6	7	8	9	10
11	12	13	14	15	16	17
18	19	20	21	22	23	24
25	26	27	28	29	30	31

19
TUESDAY

JANUARY **2021**

WK **3**

7

8

9

10

11

12 PM

1

2

3

4

5

6

7

8

9

Important

To-Do

○
○
○
○
○
○
○
○
○
○

Notes

20
WEDNESDAY

Important

To-Do

- ○
- ○
- ○
- ○
- ○
- ○
- ○
- ○
- ○
- ○

Notes

7

8

9

10

11

12 PM

1

2

3

4

5

6

7

8

9

	M	T	W	T	F	S	S
					1	2	3
	4	5	6	7	8	9	10
	11	12	13	14	15	16	17
	18	19	20	21	22	23	24
	25	26	27	28	29	30	31

21
THURSDAY

JANUARY  2021

WK **3**

7

8

9

10

11

12 PM

1

2

3

4

5

6

7

8

9

Important

To-Do

○
○
○
○
○
○
○
○
○

Notes

22
FRIDAY

Important

_____
_____
_____
_____
_____
_____
_____
_____

To-Do

○ _____
○ _____
○ _____
○ _____
○ _____
○ _____
○ _____
○ _____
○ _____
○ _____

Notes

_____
_____
_____
_____
_____
_____
_____
_____

7 _____

8 _____

9 _____

10 _____

11 _____

12 PM _____

1 _____

2 _____

3 _____

4 _____

5 _____

6 _____

7 _____

8 _____

9 _____

M	T	W	T	F	S	S
				1	2	3
4	5	6	7	8	9	10
11	12	13	14	15	16	17
18	19	20	21	22	23	24
25	26	27	28	29	30	31

23
SATURDAY

JANUARY  2021

WK 3

7

8

9

10

11

12 PM

1

2

3

4

5

6

7

8

9

Important

To-Do

○
○
○
○
○
○
○
○
○
○

Notes

24
SUNDAY

Important

To-Do

- ○
- ○
- ○
- ○
- ○
- ○
- ○
- ○
- ○
- ○

Notes

7

8

9

10

11

12 PM

1

2

3

4

5

6

7

8

9

M	T	W	T	F	S	S
				1	2	3
4	5	6	7	8	9	10
11	12	13	14	15	16	17
18	19	20	21	22	23	24
25	26	27	28	29	30	31

JANUARY **2021**

WK **3**

Weekly Recap

Ideas

25
MONDAY

Important

To-Do

- ○
- ○
- ○
- ○
- ○
- ○
- ○
- ○
- ○
- ○

Notes

7

8

9

10

11

12 PM

1

2

3

4

5

6

7

8

9

M	T	W	T	F	S	S
				1	2	3
4	5	6	7	8	9	10
11	12	13	14	15	16	17
18	19	20	21	22	23	24
25	26	27	28	29	30	31

26
TUESDAY

JANUARY  2021

WK 4

7

8

9

10

11

12 PM

1

2

3

4

5

6

7

8

9

Important

To-Do

- ○
- ○
- ○
- ○
- ○
- ○
- ○
- ○
- ○
- ○

Notes

27
WEDNESDAY

Important

_____
_____
_____
_____
_____
_____
_____
_____

To-Do

○ _____
○ _____
○ _____
○ _____
○ _____
○ _____
○ _____
○ _____
○ _____
○ _____

Notes

_____
_____
_____
_____
_____
_____
_____

7	
8	
9	
10	
11	
12 PM	
1	
2	
3	
4	
5	
6	
7	
8	
9	

M	T	W	T	F	S	S
				1	2	3
4	5	6	7	8	9	10
11	12	13	14	15	16	17
18	19	20	21	22	23	24
25	26	27	28	29	30	31

28
THURSDAY

7

8

9

10

11

12 PM

1

2

3

4

5

6

7

8

9

Important

To-Do

○
○
○
○
○
○
○
○
○
○

Notes

29
FRIDAY

Important

To-Do

- ○
- ○
- ○
- ○
- ○
- ○
- ○
- ○
- ○
- ○

Notes

7

8

9

10

11

12 PM

1

2

3

4

5

6

7

8

9

M	T	W	T	F	S	S
				1	2	3
4	5	6	7	8	9	10
11	12	13	14	15	16	17
18	19	20	21	22	23	24
25	26	27	28	29	30	31

30
SATURDAY

JANUARY 2021
WK 4

7

8

9

10

11

12 PM

1

2

3

4

5

6

7

8

9

Important

To-Do

○
○
○
○
○
○
○
○
○
○

Notes

31
SUNDAY

Important

To-Do
- ○
- ○
- ○
- ○
- ○
- ○
- ○
- ○
- ○
- ○

Notes

7

8

9

10

11

12 PM

1

2

3

4

5

6

7

8

9

M	T	W	T	F	S	S
				1	2	3
4	5	6	7	8	9	10
11	12	13	14	15	16	17
18	19	20	21	22	23	24
25	26	27	28	29	30	31

JANUARY 2021
WK 4

Weekly Recap

_____
_____
_____
_____
_____
_____
_____
_____
_____
_____
_____
_____
_____
_____
_____
_____

Ideas

_____
_____
_____
_____
_____
_____
_____
_____
_____
_____
_____
_____
_____
_____
_____

1
MONDAY

Important

To-Do

- ○
- ○
- ○
- ○
- ○
- ○
- ○
- ○
- ○
- ○

Notes

7

8

9

10

11

12 PM

1

2

3

4

5

6

7

8

9

M	T	W	T	F	S	S
1	2	3	4	5	6	7
8	9	10	11	12	13	14
15	16	17	18	19	20	21
22	23	24	25	26	27	28

2
TUESDAY

FEBRUARY 2021

WK 5

7

8

9

10

11

12 PM

1

2

3

4

5

6

7

8

9

Important

To-Do

○
○
○
○
○
○
○
○
○
○

Notes

3
WEDNESDAY

Important

7

8

9

10

11

12 PM

To-Do

○

○

○

○

○

○

○

○

○

○

Notes

1

2

3

4

5

6

7

8

9

M	T	W	T	F	S	S
1	2	3	4	5	6	7
8	9	10	11	12	13	14
15	16	17	18	19	20	21
22	23	24	25	26	27	28

4
THURSDAY

FEBRUARY 2021

WK 5

7

8

9

10

11

12 PM

1

2

3

4

5

6

7

8

9

Important

To-Do

○

○

○

○

○

○

○

○

○

○

Notes

5
FRIDAY

Important

_____
_____
_____
_____
_____
_____
_____
_____

To-Do

○ _____
○ _____
○ _____
○ _____
○ _____
○ _____
○ _____
○ _____
○ _____
○ _____

Notes

_____
_____
_____
_____
_____
_____
_____
_____
_____

7 _____

8 _____

9 _____

10 _____

11 _____

12 PM _____

1 _____

2 _____

3 _____

4 _____

5 _____

6 _____

7 _____

8 _____

9 _____

M	T	W	T	F	S	S
1	2	3	4	5	6	7
8	9	10	11	12	13	14
15	16	17	18	19	20	21
22	23	24	25	26	27	28

6
SATURDAY

FEBRUARY 2021
WK 5

7

8

9

10

11

12 PM

1

2

3

4

5

6

7

8

9

Important

To-Do

○
○
○
○
○
○
○
○
○
○

Notes

7
SUNDAY

Important

To-Do

- ○
- ○
- ○
- ○
- ○
- ○
- ○
- ○
- ○
- ○

Notes

7

8

9

10

11

12 PM

1

2

3

4

5

6

7

8

9

M	T	W	T	F	S	S
1	2	3	4	5	6	7
8	9	10	11	12	13	14
15	16	17	18	19	20	21
22	23	24	25	26	27	28

FEBRUARY **2021**

WK **5**

Weekly Recap

Ideas

8

MONDAY

Important

To-Do

- ○
- ○
- ○
- ○
- ○
- ○
- ○
- ○
- ○
- ○

Notes

7

8

9

10

11

12 PM

1

2

3

4

5

6

7

8

9

M	T	W	T	F	S	S
1	2	3	4	5	6	7
8	9	10	11	12	13	14
15	16	17	18	19	20	21
22	23	24	25	26	27	28

9

TUESDAY

FEBRUARY **2021**

WK **6**

7

8

9

10

11

12 PM

1

2

3

4

5

6

7

8

9

Important

To-Do

○
○
○
○
○
○
○
○
○
○

Notes

10
WEDNESDAY

Important

To-Do

- ○
- ○
- ○
- ○
- ○
- ○
- ○
- ○
- ○
- ○

Notes

7

8

9

10

11

12 PM

1

2

3

4

5

6

7

8

9

11
THURSDAY

7

8

9

10

11

12 PM

1

2

3

4

5

6

7

8

9

Important

To-Do

○
○
○
○
○
○
○
○
○
○

Notes

12
FRIDAY

Important

To-Do

- ○
- ○
- ○
- ○
- ○
- ○
- ○
- ○
- ○
- ○

Notes

7

8

9

10

11

12 PM

1

2

3

4

5

6

7

8

9

M	T	W	T	F	S	S
1	2	3	4	5	6	7
8	9	10	11	12	13	14
15	16	17	18	19	20	21
22	23	24	25	26	27	28

13
SATURDAY

FEBRUARY  2021
WK 6

7

8

9

10

11

12 PM

1

2

3

4

5

6

7

8

9

Important

To-Do

- ○
- ○
- ○
- ○
- ○
- ○
- ○
- ○
- ○
- ○

Notes

14
SUNDAY

Important

To-Do
- ○
- ○
- ○
- ○
- ○
- ○
- ○
- ○
- ○
- ○

Notes

7

8

9

10

11

12 PM

1

2

3

4

5

6

7

8

9

M	T	W	T	F	S	S
1	2	3	4	5	6	7
8	9	10	11	12	13	14
15	16	17	18	19	20	21
22	23	24	25	26	27	28

FEBRUARY 2021

WK 6

Weekly Recap

Ideas

15
MONDAY

Important

To-Do

- ○
- ○
- ○
- ○
- ○
- ○
- ○
- ○
- ○
- ○

Notes

7

8

9

10

11

12 PM

1

2

3

4

5

6

7

8

9

M	T	W	T	F	S	S
1	2	3	4	5	6	7
8	9	10	11	12	13	14
15	16	17	18	19	20	21
22	23	24	25	26	27	28

16
TUESDAY

FEBRUARY  2021
WK 7

7

8

9

10

11

12 PM

1

2

3

4

5

6

7

8

9

Important

To-Do

- ○
- ○
- ○
- ○
- ○
- ○
- ○
- ○
- ○
- ○

Notes

17
WEDNESDAY

Important

To-Do

- ○
- ○
- ○
- ○
- ○
- ○
- ○
- ○
- ○
- ○

Notes

7

8

9

10

11

12 PM

1

2

3

4

5

6

7

8

9

M	T	W	T	F	S	S
1	2	3	4	5	6	7
8	9	10	11	12	13	14
15	16	17	18	19	20	21
22	23	24	25	26	27	28

18
THURSDAY

FEBRUARY  2021

WK **7**

7

8

9

10

11

12 PM

1

2

3

4

5

6

7

8

9

Important

To-Do

○
○
○
○
○
○
○
○
○
○

Notes

19
FRIDAY

Important

To-Do

- ○
- ○
- ○
- ○
- ○
- ○
- ○
- ○
- ○
- ○

Notes

7

8

9

10

11

12 PM

1

2

3

4

5

6

7

8

9

M	T	W	T	F	S	S
1	2	3	4	5	6	7
8	9	10	11	12	13	14
15	16	17	18	19	20	21
22	23	24	25	26	27	28

20
SATURDAY

FEBRUARY 2021
WK 7

7

8

9

10

11

12 PM

1

2

3

4

5

6

7

8

9

Important

To-Do

○
○
○
○
○
○
○
○
○

Notes

21
SUNDAY

Important

To-Do
- ○
- ○
- ○
- ○
- ○
- ○
- ○
- ○
- ○
- ○

Notes

7

8

9

10

11

12 PM

1

2

3

4

5

6

7

8

9

M	T	W	T	F	S	S
1	2	3	4	5	6	7
8	9	10	11	12	13	14
15	16	17	18	19	20	21
22	23	24	25	26	27	28

FEBRUARY 2021

WK **7**

Weekly Recap

Ideas

22
MONDAY

Important

To-Do
- ○
- ○
- ○
- ○
- ○
- ○
- ○
- ○
- ○
- ○

Notes

7

8

9

10

11

12 PM

1

2

3

4

5

6

7

8

9

M	T	W	T	F	S	S
1	2	3	4	5	6	7
8	9	10	11	12	13	14
15	16	17	18	19	20	21
22	23	24	25	26	27	28

23
TUESDAY

FEBRUARY  2021
WK 8

7

8

9

10

11

12 PM

1

2

3

4

5

6

7

8

9

Important

To-Do

○
○
○
○
○
○
○
○
○
○

Notes

24
WEDNESDAY

Important

To-Do

- ○
- ○
- ○
- ○
- ○
- ○
- ○
- ○
- ○
- ○

Notes

7

8

9

10

11

12 PM

1

2

3

4

5

6

7

8

9

25
THURSDAY

7

8

9

10

11

12 PM

1

2

3

4

5

6

7

8

9

Important

To-Do

○
○
○
○
○
○
○
○
○
○

Notes

26
FRIDAY

Important

_____
_____
_____
_____
_____
_____
_____
_____

To-Do

○ _____
○ _____
○ _____
○ _____
○ _____
○ _____
○ _____
○ _____
○ _____
○ _____

Notes

_____
_____
_____
_____
_____
_____
_____
_____

7 _____

8 _____

9 _____

10 _____

11 _____

12 PM _____

1 _____

2 _____

3 _____

4 _____

5 _____

6 _____

7 _____

8 _____

9 _____

M	T	W	T	F	S	S
1	2	3	4	5	6	7
8	9	10	11	12	13	14
15	16	17	18	19	20	21
22	23	24	25	26	27	28

27
SATURDAY

FEBRUARY  2021

WK 8

7

8

9

10

11

12 PM

1

2

3

4

5

6

7

8

9

Important

To-Do
○
○
○
○
○
○
○
○
○
○

Notes

28
SUNDAY

Important

To-Do

- ○
- ○
- ○
- ○
- ○
- ○
- ○
- ○
- ○
- ○

Notes

7

8

9

10

11

12 PM

1

2

3

4

5

6

7

8

9

M	T	W	T	F	S	S
1	2	3	4	5	6	7
8	9	10	11	12	13	14
15	16	17	18	19	20	21
22	23	24	25	26	27	28

FEBRUARY 2021
WK 8

Weekly Recap

Ideas

1
MONDAY

Important

To-Do

- ○
- ○
- ○
- ○
- ○
- ○
- ○
- ○
- ○
- ○

Notes

7

8

9

10

11

12 PM

1

2

3

4

5

6

7

8

9

M	T	W	T	F	S	S
1	2	3	4	5	6	7
8	9	10	11	12	13	14
15	16	17	18	19	20	21
22	23	24	25	26	27	28
29	30	31				

2
TUESDAY

7

8

9

10

11

12 PM

1

2

3

4

5

6

7

8

9

Important

To-Do

- ○
- ○
- ○
- ○
- ○
- ○
- ○
- ○
- ○
- ○

Notes

3
WEDNESDAY

Important

To-Do

- ○
- ○
- ○
- ○
- ○
- ○
- ○
- ○
- ○
- ○

Notes

7

8

9

10

11

12 PM

1

2

3

4

5

6

7

8

9

M	T	W	T	F	S	S
1	2	3	4	5	6	7
8	9	10	11	12	13	14
15	16	17	18	19	20	21
22	23	24	25	26	27	28
29	30	31				

4
THURSDAY

7

8

9

10

11

12 PM

1

2

3

4

5

6

7

8

9

Important

To-Do

○
○
○
○
○
○
○
○
○
○

Notes

5
FRIDAY

Important

_____
_____
_____
_____
_____
_____
_____
_____
_____

To-Do

○ _____
○ _____
○ _____
○ _____
○ _____
○ _____
○ _____
○ _____
○ _____
○ _____

Notes

_____
_____
_____
_____
_____
_____
_____
_____
_____

7 _____

8 _____

9 _____

10 _____

11 _____

12 PM _____

1 _____

2 _____

3 _____

4 _____

5 _____

6 _____

7 _____

8 _____

9 _____

M	T	W	T	F	S	S
1	2	3	4	5	6	7
8	9	10	11	12	13	14
15	16	17	18	19	20	21
22	23	24	25	26	27	28
29	30	31				

6
SATURDAY

MARCH **2021**

WK **9**

7

8

9

10

11

12 PM

1

2

3

4

5

6

7

8

9

Important

To-Do

○
○
○
○
○
○
○
○
○
○

Notes

7
SUNDAY

Important

To-Do
- ○
- ○
- ○
- ○
- ○
- ○
- ○
- ○
- ○
- ○

Notes

7

8

9

10

11

12 PM

1

2

3

4

5

6

7

8

9

M T W T F S S
1 2 3 4 5 6 7
8 9 10 11 12 13 14
15 16 17 18 19 20 21
22 23 24 25 26 27 28
29 30 31

MARCH **2021**
WK **9**

Weekly Recap

Ideas

8
MONDAY

Important

To-Do

- ○
- ○
- ○
- ○
- ○
- ○
- ○
- ○
- ○
- ○

Notes

7

8

9

10

11

12 PM

1

2

3

4

5

6

7

8

9

M	T	W	T	F	S	S
1	2	3	4	5	6	7
8	9	10	11	12	13	14
15	16	17	18	19	20	21
22	23	24	25	26	27	28
29	30	31				

9

TUESDAY

7

8

9

10

11

12 PM

1

2

3

4

5

6

7

8

9

Important

To-Do

○
○
○
○
○
○
○
○
○
○

Notes

10
WEDNESDAY

Important

To-Do

- ○
- ○
- ○
- ○
- ○
- ○
- ○
- ○
- ○
- ○

Notes

7

8

9

10

11

12 PM

1

2

3

4

5

6

7

8

9

M	T	W	T	F	S	S
1	2	3	4	5	6	7
8	9	10	11	12	13	14
15	16	17	18	19	20	21
22	23	24	25	26	27	28
29	30	31				

11
THURSDAY

7

8

9

10

11

12 PM

1

2

3

4

5

6

7

8

9

Important

To-Do

○
○
○
○
○
○
○
○
○
○

Notes

12
FRIDAY

Important

To-Do

- ○
- ○
- ○
- ○
- ○
- ○
- ○
- ○
- ○
- ○

Notes

7

8

9

10

11

12 PM

1

2

3

4

5

6

7

8

9

M	T	W	T	F	S	S
1	2	3	4	5	6	7
8	9	10	11	12	13	14
15	16	17	18	19	20	21
22	23	24	25	26	27	28
29	30	31				

13
SATURDAY

7

8

9

10

11

12 PM

1

2

3

4

5

6

7

8

9

Important

To-Do

○
○
○
○
○
○
○
○
○
○

Notes

14
SUNDAY

Important

_____

_____

_____

_____

_____

_____

_____

_____

To-Do

○ _____

○ _____

○ _____

○ _____

○ _____

○ _____

○ _____

○ _____

○ _____

○ _____

Notes

_____

_____

_____

_____

_____

_____

7	
8	
9	
10	
11	
12 PM	
1	
2	
3	
4	
5	
6	
7	
8	
9	

M	T	W	T	F	S	S
1	2	3	4	5	6	7
8	9	10	11	12	13	14
15	16	17	18	19	20	21
22	23	24	25	26	27	28
29	30	31				

MARCH **2021**

WK **10**

Weekly Recap

Ideas

15
MONDAY

Important

To-Do

- ○
- ○
- ○
- ○
- ○
- ○
- ○
- ○
- ○
- ○

Notes

7

8

9

10

11

12 PM

1

2

3

4

5

6

7

8

9

M 1	T 2	W 3	T 4	F 5	S 6	S 7
8	9	10	11	12	13	14
15	16	17	18	19	20	21
22	23	24	25	26	27	28
29	30	31				

16
TUESDAY

MARCH  2021
WK 11

7

8

9

10

11

12 PM

1

2

3

4

5

6

7

8

9

Important

To-Do

- ○
- ○
- ○
- ○
- ○
- ○
- ○
- ○
- ○
- ○

Notes

17
WEDNESDAY

Important

_____
_____
_____
_____
_____
_____
_____
_____

To Do

○ _____
○ _____
○ _____
○ _____
○ _____
○ _____
○ _____
○ _____
○ _____
○ _____

Notes

_____
_____
_____
_____
_____
_____
_____

7 _____

8 _____

9 _____

10 _____

11 _____

12 PM _____

1 _____

2 _____

3 _____

4 _____

5 _____

6 _____

7 _____

8 _____

9 _____

M	T	W	T	F	S	S
1	2	3	4	5	6	7
8	9	10	11	12	13	14
15	16	17	18	19	20	21
22	23	24	25	26	27	28
29	30	31				

18
THURSDAY

MARCH 2021
WK 11

7

8

9

10

11

12 PM

1

2

3

4

5

6

7

8

9

Important

To Do

○
○
○
○
○
○
○
○
○
○

Notes

19
FRIDAY

Important

To-Do

- ○
- ○
- ○
- ○
- ○
- ○
- ○
- ○
- ○
- ○

Notes

7

8

9

10

11

12 PM

1

2

3

4

5

6

7

8

9

M	T	W	T	F	S	S
1	2	3	4	5	6	7
8	9	10	11	12	13	14
15	16	17	18	19	20	21
22	23	24	25	26	27	28
29	30	31				

20
SATURDAY

MARCH 2021
WK 11

7

8

9

10

11

12 PM

1

2

3

4

5

6

7

8

9

Important

To-Do

○
○
○
○
○
○
○
○
○
○

Notes

21
SUNDAY

Important

To-Do
- ○
- ○
- ○
- ○
- ○
- ○
- ○
- ○
- ○
- ○

Notes

7

8

9

10

11

12 PM

1

2

3

4

5

6

7

8

9

M	T	W	T	F	S	S
1	2	3	4	5	6	7
8	9	10	11	12	13	14
15	16	17	18	19	20	21
22	23	24	25	26	27	28
29	30	31				

MARCH 2021

WK 11

Weekly Recap

Ideas

22
MONDAY

Important		7
		8
		9
		10
		11
		12 PM

To-Do

- ○
- ○
- ○
- ○
- ○
- ○
- ○
- ○
- ○
- ○

	1
	2
	3
	4
	5
	6

Notes

	7
	8
	9

M	T	W	T	F	S	S
1	2	3	4	5	6	7
8	9	10	11	12	13	14
15	16	17	18	19	20	21
22	23	24	25	26	27	28
29	30	31				

23
TUESDAY

7

8

9

10

11

12 PM

1

2

3

4

5

6

7

8

9

Important

To-Do

○
○
○
○
○
○
○
○
○
○

Notes

24
WEDNESDAY

Important

To-Do

○

○

○

○

○

○

○

○

○

○

Notes

7

8

9

10

11

12 PM

1

2

3

4

5

6

7

8

9

M	T	W	T	F	S	S
1	2	3	4	5	6	7
8	9	10	11	12	13	14
15	16	17	18	19	20	21
22	23	24	25	26	27	28
29	30	31				

25
THURSDAY

7

8

9

10

11

12 PM

1

2

3

4

5

6

7

8

9

Important

To-Do

○
○
○
○
○
○
○
○
○
○

Notes

26
FRIDAY

Important

To-Do
- ○
- ○
- ○
- ○
- ○
- ○
- ○
- ○
- ○
- ○

Notes

7

8

9

10

11

12 PM

1

2

3

4

5

6

7

8

9

M	T	W	T	F	S	S
1	2	3	4	5	6	7
8	9	10	11	12	13	14
15	16	17	18	19	20	21
22	23	24	25	26	27	28
29	30	31				

27
SATURDAY

7

8

9

10

11

12 PM

1

2

3

4

5

6

7

8

9

Important

To-Do

- ○
- ○
- ○
- ○
- ○
- ○
- ○
- ○
- ○
- ○

Notes

28
SUNDAY

Important

To-Do

- ○
- ○
- ○
- ○
- ○
- ○
- ○
- ○
- ○
- ○

Notes

7

8

9

10

11

12 PM

1

2

3

4

5

6

7

8

9

Weekly Recap

_____
_____
_____
_____
_____
_____
_____
_____
_____
_____
_____
_____
_____
_____
_____
_____

Ideas

_____
_____
_____
_____
_____
_____
_____
_____
_____
_____
_____
_____
_____
_____

29
MONDAY

Important		7

Important

To-Do
- ○
- ○
- ○
- ○
- ○
- ○
- ○
- ○
- ○
- ○

Notes

7

8

9

10

11

12 PM

1

2

3

4

5

6

7

8

9

M	T	W	T	F	S	S
1	2	3	4	5	6	7
8	9	10	11	12	13	14
15	16	17	18	19	20	21
22	23	24	25	26	27	28
29	30	31				

30
TUESDAY

MARCH 2021

WK 13

7

8

9

10

11

12 PM

1

2

3

4

5

6

7

8

9

Important

To-Do

○

○

○

○

○

○

○

○

○

○

Notes

31
WEDNESDAY

Important

To-Do

- ○
- ○
- ○
- ○
- ○
- ○
- ○
- ○
- ○
- ○

Notes

7

8

9

10

11

12 PM

1

2

3

4

5

6

7

8

9

M	T	W	T	F	S	S
			1	2	3	4
5	6	7	8	9	10	11
12	13	14	15	16	17	18
19	20	21	22	23	24	25
26	27	28	29	30		

1
THURSDAY

APRIL 2021
WK 13

7

8

9

10

11

12 PM

1

2

3

4

5

6

7

8

9

Important

To-Do

○
○
○
○
○
○
○
○
○
○

Notes

2
FRIDAY

Important

To-Do

- ○
- ○
- ○
- ○
- ○
- ○
- ○
- ○
- ○
- ○

Notes

7

8

9

10

11

12 PM

1

2

3

4

5

6

7

8

9

M	T	W	T	F	S	S
			1	2	3	4
5	6	7	8	9	10	11
12	13	14	15	16	17	18
19	20	21	22	23	24	25
26	27	28	29	30		

3
SATURDAY

APRIL **2021**
WK **13**

7

8

9

10

11

12 PM

1

2

3

4

5

6

7

8

9

Important

To-Do

- ○
- ○
- ○
- ○
- ○
- ○
- ○
- ○
- ○
- ○

Notes

4
SUNDAY

Important

To-Do

- ○
- ○
- ○
- ○
- ○
- ○
- ○
- ○
- ○
- ○

Notes

7

8

9

10

11

12 PM

1

2

3

4

5

6

7

8

9

M	T	W	T	F	S	S
			1	2	3	4
5	6	7	8	9	10	11
12	13	14	15	16	17	18
19	20	21	22	23	24	25
26	27	28	29	30		

APRIL **2021**

WK **13**

Weekly Recap

Ideas

5
MONDAY

Important

To-Do

- ○
- ○
- ○
- ○
- ○
- ○
- ○
- ○
- ○
- ○

Notes

7

8

9

10

11

12 PM

1

2

3

4

5

6

7

8

9

M	T	W	T	F	S	S
			1	2	3	4
5	6	7	8	9	10	11
12	13	14	15	16	17	18
19	20	21	22	23	24	25
26	27	28	29	30		

6
TUESDAY

APRIL **2021**
WK **14**

7

8

9

10

11

12 PM

1

2

3

4

5

6

7

8

9

Important

To-Do

○
○
○
○
○
○
○
○
○
○

Notes

7
WEDNESDAY

Important

To-Do

- ○
- ○
- ○
- ○
- ○
- ○
- ○
- ○
- ○
- ○

Notes

7

8

9

10

11

12 PM

1

2

3

4

5

6

7

8

9

	M	T	W	T	F	S	S
				1	2	3	4
	5	6	7	8	9	10	11
	12	13	14	15	16	17	18
	19	20	21	22	23	24	25
	26	27	28	29	30		

8
THURSDAY

APRIL

WK 14

7

8

9

10

11

12 PM

1

2

3

4

5

6

7

8

9

Important

To-Do

○
○
○
○
○
○
○
○
○
○

Notes

9
FRIDAY

Important

To-Do

- ○
- ○
- ○
- ○
- ○
- ○
- ○
- ○
- ○
- ○

Notes

7

8

9

10

11

12 PM

1

2

3

4

5

6

7

8

9

M	T	W	T	F	S	S
			1	2	3	4
5	6	7	8	9	10	11
12	13	14	15	16	17	18
19	20	21	22	23	24	25
26	27	28	29	30		

10
SATURDAY

APRIL  2021

WK 14

7

8

9

10

11

12 PM

1

2

3

4

5

6

7

8

9

Important

To-Do

- ○
- ○
- ○
- ○
- ○
- ○
- ○
- ○
- ○
- ○

Notes

11
SUNDAY

Important

To-Do
- ○
- ○
- ○
- ○
- ○
- ○
- ○
- ○
- ○
- ○

Notes

7

8

9

10

11

12 PM

1

2

3

4

5

6

7

8

9

M	T	W	T	F	S	S
			1	2	3	4
5	6	7	8	9	10	11
12	13	14	15	16	17	18
19	20	21	22	23	24	25
26	27	28	29	30		

APRIL **2021**

WK **14**

Weekly Recap

_____
_____
_____
_____
_____
_____
_____
_____
_____
_____
_____
_____
_____
_____
_____

Ideas

_____
_____
_____
_____
_____
_____
_____
_____
_____
_____
_____
_____
_____

12
MONDAY

Important

To-Do

- ○
- ○
- ○
- ○
- ○
- ○
- ○
- ○
- ○
- ○

Notes

7

8

9

10

11

12 PM

1

2

3

4

5

6

7

8

9

M	T	W	T	F	S	S
			1	2	3	4
5	6	7	8	9	10	11
12	13	14	15	16	17	18
19	20	21	22	23	24	25
26	27	28	29	30		

13
TUESDAY

APRIL  2021
WK 15

7

8

9

10

11

12 PM

1

2

3

4

5

6

7

8

9

Important

To-Do

○
○
○
○
○
○
○
○
○
○

Notes

14
WEDNESDAY

Important

To-Do

- ○
- ○
- ○
- ○
- ○
- ○
- ○
- ○
- ○
- ○

Notes

7

8

9

10

11

12 PM

1

2

3

4

5

6

7

8

9

M	T	W	T	F	S	S
			1	2	3	4
5	6	7	8	9	10	11
12	13	14	15	16	17	18
19	20	21	22	23	24	25
26	27	28	29	30		

15
THURSDAY

7

8

9

10

11

12 PM

1

2

3

4

5

6

7

8

9

Important

To-Do

○
○
○
○
○
○
○
○
○
○

Notes

16
FRIDAY

Important

To-Do

- ○
- ○
- ○
- ○
- ○
- ○
- ○
- ○
- ○
- ○

Notes

7

8

9

10

11

12 PM

1

2

3

4

5

6

7

8

9

M	T	W	T	F	S	S
			1	2	3	4
5	6	7	8	9	10	11
12	13	14	15	16	17	18
19	20	21	22	23	24	25
26	27	28	29	30		

17
SATURDAY

7

8

9

10

11

12 PM

1

2

3

4

5

6

7

8

9

Important

To-Do

○
○
○
○
○
○
○
○
○
○

Notes

18
SUNDAY

Important

To-Do

- ○
- ○
- ○
- ○
- ○
- ○
- ○
- ○
- ○
- ○

Notes

7

8

9

10

11

12 PM

1

2

3

4

5

6

7

8

9

M	T	W	T	F	S	S
			1	2	3	4
5	6	7	8	9	10	11
12	13	14	15	16	17	18
19	20	21	22	23	24	25
26	27	28	29	30		

APRIL **2021**
WK **15**

Weekly Recap

Ideas

19
MONDAY

Important

To-Do
- ○
- ○
- ○
- ○
- ○
- ○
- ○
- ○
- ○
- ○

Notes

7

8

9

10

11

12 PM

1

2

3

4

5

6

7

8

9

M	T	W	T	F	S	S
			1	2	3	4
5	6	7	8	9	10	11
12	13	14	15	16	17	18
19	20	21	22	23	24	25
26	27	28	29	30		

20
TUESDAY

7

8

9

10

11

12 PM

1

2

3

4

5

6

7

8

9

Important

To-Do

○
○
○
○
○
○
○
○
○
○

Notes

21
WEDNESDAY

Important

To-Do

- ○
- ○
- ○
- ○
- ○
- ○
- ○
- ○
- ○
- ○

Notes

7

8

9

10

11

12 PM

1

2

3

4

5

6

7

8

9

M	T	W	T	F	S	S
			1	2	3	4
5	6	7	8	9	10	11
12	13	14	15	16	17	18
19	20	21	22	23	24	25
26	27	28	29	30		

7

8

9

10

11

12 PM

1

2

3

4

5

6

7

8

9

Important

To-Do

○
○
○
○
○
○
○
○
○
○

Notes

23
FRIDAY

Important

To-Do

- ○
- ○
- ○
- ○
- ○
- ○
- ○
- ○
- ○
- ○

Notes

7

8

9

10

11

12 PM

1

2

3

4

5

6

7

8

9

M	T	W	T	F	S	S
			1	2	3	4
5	6	7	8	9	10	11
12	13	14	15	16	17	18
19	20	21	22	23	24	25
26	27	28	29	30		

24
SATURDAY

APRIL 2021
WK 16

7

8

9

10

11

12 PM

1

2

3

4

5

6

7

8

9

Important

To-Do

○
○
○
○
○
○
○
○
○
○

Notes

25
SUNDAY

Important

To-Do

- ○
- ○
- ○
- ○
- ○
- ○
- ○
- ○
- ○
- ○

Notes

7

8

9

10

11

12 PM

1

2

3

4

5

6

7

8

9

M	T	W	T	F	S	S
			1	2	3	4
5	6	7	8	9	10	11
12	13	14	15	16	17	18
19	20	21	22	23	24	25
26	27	28	29	30		

APRIL **2021**

WK 16

Weekly Recap

Ideas

26
MONDAY

Important

To-Do

- ◯
- ◯
- ◯
- ◯
- ◯
- ◯
- ◯
- ◯
- ◯
- ◯

Notes

7

8

9

10

11

12 PM

1

2

3

4

5

6

7

8

9

M	T	W	T	F	S	S
			1	2	3	4
5	6	7	8	9	10	11
12	13	14	15	16	17	18
19	20	21	22	23	24	25
26	27	28	29	30		

27
TUESDAY

7

8

9

10

11

12 PM

1

2

3

4

5

6

7

8

9

Important

To-Do

○
○
○
○
○
○
○
○
○
○

Notes

28
WEDNESDAY

Important

To-Do

- ○
- ○
- ○
- ○
- ○
- ○
- ○
- ○
- ○
- ○

Notes

7

8

9

10

11

12 PM

1

2

3

4

5

6

7

8

9

M	T	W	T	F	S	S
			1	2	3	4
5	6	7	8	9	10	11
12	13	14	15	16	17	18
19	20	21	22	23	24	25
26	27	28	29	30		

29
THURSDAY

7

8

9

10

11

12 PM

1

2

3

4

5

6

7

8

9

Important

To-Do

○
○
○
○
○
○
○
○
○
○

Notes

30
FRIDAY

Important

To-Do
- ○
- ○
- ○
- ○
- ○
- ○
- ○
- ○
- ○
- ○

Notes

7

8

9

10

11

12 PM

1

2

3

4

5

6

7

8

9

M	T	W	T	F	S	S
					1	2
3	4	5	6	7	8	9
10	11	12	13	14	15	16
17	18	19	20	21	22	23
24	25	26	27	28	29	30
31						

1
SATURDAY

MAY 2021
WK 17

7

8

9

10

11

12 PM

1

2

3

4

5

6

7

8

9

Important

To-Do

- ○
- ○
- ○
- ○
- ○
- ○
- ○
- ○
- ○
- ○

Notes

2
SUNDAY

Important

To-Do
- ○
- ○
- ○
- ○
- ○
- ○
- ○
- ○
- ○
- ○

Notes

7

8

9

10

11

12 PM

1

2

3

4

5

6

7

8

9

M	T	W	T	F	S	S
					1	2
3	4	5	6	7	8	9
10	11	12	13	14	15	16
17	18	19	20	21	22	23
24	25	26	27	28	29	30
31						

MAY **2021**

WK 17

Weekly Recap

Ideas

3
MONDAY

Important

To-Do

- ○
- ○
- ○
- ○
- ○
- ○
- ○
- ○
- ○
- ○

Notes

7

8

9

10

11

12 PM

1

2

3

4

5

6

7

8

9

4
TUESDAY

7

8

9

10

11

12 PM

1

2

3

4

5

6

7

8

9

Important

To-Do

○
○
○
○
○
○
○
○
○
○

Notes

5
WEDNESDAY

Important

To-Do

○
○
○
○
○
○
○
○
○
○

Notes

7

8

9

10

11

12 PM

1

2

3

4

5

6

7

8

9

M	T	W	T	F	S	S
						1	2
3	4	5	6	7	8	9
10	11	12	13	14	15	16
17	18	19	20	21	22	23
24	25	26	27	28	29	30
31						

6
THURSDAY

MAY 2021
WK 18

7

8

9

10

11

12 PM

1

2

3

4

5

6

7

8

9

Important

To-Do

○

○

○

○

○

○

○

○

○

○

Notes

7

FRIDAY

Important

To-Do
- ○
- ○
- ○
- ○
- ○
- ○
- ○
- ○
- ○
- ○

Notes

7

8

9

10

11

12 PM

1

2

3

4

5

6

7

8

9

M	T	W	T	F	S	S
					1	2
3	4	5	6	7	8	9
10	11	12	13	14	15	16
17	18	19	20	21	22	23
24	25	26	27	28	29	30
31						

8
SATURDAY

7

8

9

10

11

12 PM

1

2

3

4

5

6

7

8

9

Important

To-Do

○
○
○
○
○
○
○
○
○
○

Notes

9
SUNDAY

Important

To-Do
- ○
- ○
- ○
- ○
- ○
- ○
- ○
- ○
- ○
- ○

Notes

7

8

9

10

11

12 PM

1

2

3

4

5

6

7

8

9

M	T	W	T	F	S	S
					1	2
3	4	5	6	7	8	9
10	11	12	13	14	15	16
17	18	19	20	21	22	23
24	25	26	27	28	29	30
31						

MAY 2021

WK **18**

Weekly Recap

Ideas

10
MONDAY

Important

To-Do

- ○
- ○
- ○
- ○
- ○
- ○
- ○
- ○
- ○
- ○

Notes

7

8

9

10

11

12 PM

1

2

3

4

5

6

7

8

9

M	T	W	T	F	S	S
					1	2
3	4	5	6	7	8	9
10	11	12	13	14	15	16
17	18	19	20	21	22	23
24	25	26	27	28	29	30
31

11
TUESDAY

MAY 2021

WK 19

7

8

9

10

11

12 PM

1

2

3

4

5

6

7

8

9

Important

To-Do

○
○
○
○
○
○
○
○
○
○

Notes

12
WEDNESDAY

Important

To-Do

- ○
- ○
- ○
- ○
- ○
- ○
- ○
- ○
- ○
- ○

Notes

7

8

9

10

11

12 PM

1

2

3

4

5

6

7

8

9

M	T	W	T	F	S	S
						1
3	4	5	6	7	8	2
10	11	12	13	14	15	9
17	18	19	20	21	22	16
24	25	26	27	28	29	23
31						30

13
THURSDAY

MAY **2021**

WK **19**

7

8

9

10

11

12 PM

1

2

3

4

5

6

7

8

9

Important

To-Do

○
○
○
○
○
○
○
○
○
○

Notes

14
FRIDAY

Important

To-Do

- ○
- ○
- ○
- ○
- ○
- ○
- ○
- ○
- ○
- ○

Notes

7

8

9

10

11

12 PM

1

2

3

4

5

6

7

8

9

15
SATURDAY

7

8

9

10

11

12 PM

1

2

3

4

5

6

7

8

9

Important

To-Do

○
○
○
○
○
○
○
○
○
○

Notes

16
SUNDAY

Important

To-Do

- ○
- ○
- ○
- ○
- ○
- ○
- ○
- ○
- ○
- ○

Notes

7

8

9

10

11

12 PM

1

2

3

4

5

6

7

8

9

M	T	W	T	F	S	S
					1	2
3	4	5	6	7	8	9
10	11	12	13	14	15	16
17	18	19	20	21	22	23
24	25	26	27	28	29	30
31						

MAY 2021

WK 19

Weekly Recap

Ideas

17
MONDAY

Important

To-Do

○
○
○
○
○
○
○
○
○
○

Notes

7

8

9

10

11

12 PM

1

2

3

4

5

6

7

8

9

18
TUESDAY

7

8

9

10

11

12 PM

1

2

3

4

5

6

7

8

9

Important

To-Do

- ○
- ○
- ○
- ○
- ○
- ○
- ○
- ○
- ○
- ○

Notes

19
WEDNESDAY

Important

To-Do

- ○
- ○
- ○
- ○
- ○
- ○
- ○
- ○
- ○
- ○

Notes

7

8

9

10

11

12 PM

1

2

3

4

5

6

7

8

9

20
THURSDAY

7

8

9

10

11

12 PM

1

2

3

4

5

6

7

8

9

Important

To-Do

○

○

○

○

○

○

○

○

○

○

Notes

21
FRIDAY

Important

To-Do

- ○
- ○
- ○
- ○
- ○
- ○
- ○
- ○
- ○
- ○

Notes

7

8

9

10

11

12 PM

1

2

3

4

5

6

7

8

9

22
SATURDAY

7

8

9

10

11

12 PM

1

2

3

4

5

6

7

8

9

Important

To-Do

○
○
○
○
○
○
○
○
○
○

Notes

23
SUNDAY

Important

To-Do

○
○
○
○
○
○
○
○
○
○

Notes

7

8

9

10

11

12 PM

1

2

3

4

5

6

7

8

9

M	T	W	T	F	S	S
					1	2
3	4	5	6	7	8	9
10	11	12	13	14	15	16
17	18	19	20	21	22	23
24	25	26	27	28	29	30
31						

MAY 2021

WK **20**

Weekly Recap

Ideas

24
MONDAY

Important

To-Do

- ○
- ○
- ○
- ○
- ○
- ○
- ○
- ○
- ○
- ○

Notes

7

8

9

10

11

12 PM

1

2

3

4

5

6

7

8

9

25
TUESDAY

7

8

9

10

11

12 PM

1

2

3

4

5

6

7

8

9

Important

To-Do

○

○

○

○

○

○

○

○

○

○

Notes

26
WEDNESDAY

Important

To-Do

- ○
- ○
- ○
- ○
- ○
- ○
- ○
- ○
- ○
- ○

Notes

7

8

9

10

11

12 PM

1

2

3

4

5

6

7

8

9

M	T	W	T	F	S	S
					1	2
3	4	5	6	7	8	9
10	11	12	13	14	15	16
17	18	19	20	21	22	23
24	25	26	27	28	29	30
31						

27
THURSDAY

MAY  2021

WK 21

7

8

9

10

11

12 PM

1

2

3

4

5

6

7

8

9

Important

To-Do

○

○

○

○

○

○

○

○

○

Notes

28
FRIDAY

Important

_____
_____
_____
_____
_____
_____
_____
_____

To-Do

○ _____
○ _____
○ _____
○ _____
○ _____
○ _____
○ _____
○ _____
○ _____
○ _____

Notes

_____
_____
_____
_____
_____
_____
_____
_____

7 _____

8 _____

9 _____

10 _____

11 _____

12 PM _____

1 _____

2 _____

3 _____

4 _____

5 _____

6 _____

7 _____

8 _____

9 _____

M	T	W	T	F	S	S
						1
3	4	5	6	7	8	2 9
10	11	12	13	14	15	16
17	18	19	20	21	22	23
24	25	26	27	28	29	30
31						

29
SATURDAY

MAY **2021**

WK 21

7

8

9

10

11

12 PM

1

2

3

4

5

6

7

8

9

Important

To-Do

○
○
○
○
○
○
○
○
○
○

Notes

30
SUNDAY

Important

_____
_____
_____
_____
_____
_____
_____
_____

To-Do

○ _____
○ _____
○ _____
○ _____
○ _____
○ _____
○ _____
○ _____
○ _____
○ _____

Notes

_____
_____
_____
_____
_____
_____

7 _____

8 _____

9 _____

10 _____

11 _____

12 PM _____

1 _____

2 _____

3 _____

4 _____

5 _____

6 _____

7 _____

8 _____

9 _____
_____
_____

M	T	W	T	F	S	S
					1	2
3	4	5	6	7	8	9
10	11	12	13	14	15	16
17	18	19	20	21	22	23
24	25	26	27	28	29	30
31						

MAY  2021

WK 21

Weekly Recap

Ideas

31
MONDAY

Important

To-Do

- ○
- ○
- ○
- ○
- ○
- ○
- ○
- ○
- ○
- ○

Notes

7

8

9

10

11

12 PM

1

2

3

4

5

6

7

8

9

M	T	W	T	F	S	S
	1	2	3	4	5	6
7	8	9	10	11	12	13
14	15	16	17	18	19	20
21	22	23	24	25	26	27
28	29	30				

1

TUESDAY

7

8

9

10

11

12 PM

1

2

3

4

5

6

7

8

9

Important

To-Do

- ○
- ○
- ○
- ○
- ○
- ○
- ○
- ○
- ○
- ○

Notes

2
WEDNESDAY

Important

To-Do

- ○
- ○
- ○
- ○
- ○
- ○
- ○
- ○
- ○
- ○

Notes

7

8

9

10

11

12 PM

1

2

3

4

5

6

7

8

9

M	T	W	T	F	S	S
	1	2	3	4	5	6
7	8	9	10	11	12	13
14	15	16	17	18	19	20
21	22	23	24	25	26	27
28	29	30				

3
THURSDAY

7

8

9

10

11

12 PM

1

2

3

4

5

6

7

8

9

Important

To-Do

○
○
○
○
○
○
○
○
○
○

Notes

4
FRIDAY

Important

_____
_____
_____
_____
_____
_____
_____
_____
_____

To-Do

- _____
- _____
- _____
- _____
- _____
- _____
- _____
- _____
- _____
- _____

Notes

_____
_____
_____
_____
_____
_____
_____
_____

7 _____

8 _____

9 _____

10 _____

11 _____

12 PM _____

1 _____

2 _____

3 _____

4 _____

5 _____

6 _____

7 _____

8 _____

9 _____

M	T	W	T	F	S	S
	1	2	3	4	5	6
7	8	9	10	11	12	13
14	15	16	17	18	19	20
21	22	23	24	25	26	27
28	29	30				

5
SATURDAY

JUNE **2021**
WK 22

7

8

9

10

11

12 PM

1

2

3

4

5

6

7

8

9

Important

To-Do

○
○
○
○
○
○
○
○
○
○

Notes

6
SUNDAY

Important

To-Do

- ○
- ○
- ○
- ○
- ○
- ○
- ○
- ○
- ○
- ○

Notes

7

8

9

10

11

12 PM

1

2

3

4

5

6

7

8

9

M	T	W	T	F	S	S
	1	2	3	4	5	6
7	8	9	10	11	12	13
14	15	16	17	18	19	20
21	22	23	24	25	26	27
28	29	30

JUNE 2021
WK 22

Weekly Recap

Ideas

7

MONDAY

Important

To-Do

- ○
- ○
- ○
- ○
- ○
- ○
- ○
- ○
- ○
- ○

Notes

Time	
7	
8	
9	
10	
11	
12 PM	
1	
2	
3	
4	
5	
6	
7	
8	
9	

M	T	W	T	F	S	S
	1	2	3	4	5	6
7	8	9	10	11	12	13
14	15	16	17	18	19	20
21	22	23	24	25	26	27
28	29	30				

8
TUESDAY

7

8

9

10

11

12 PM

1

2

3

4

5

6

7

8

9

Important

To-Do

○
○
○
○
○
○
○
○
○

Notes

9
WEDNESDAY

Important

To-Do

- ○
- ○
- ○
- ○
- ○
- ○
- ○
- ○
- ○
- ○

Notes

7

8

9

10

11

12 PM

1

2

3

4

5

6

7

8

9

M	T	W	T	F	S	S
	1	2	3	4	5	6
7	8	9	10	11	12	13
14	15	16	17	18	19	20
21	22	23	24	25	26	27
28	29	30				

10
THURSDAY

JUNE **2021**

WK **23**

7

8

9

10

11

12 PM

1

2

3

4

5

6

7

8

9

Important

To-Do

○
○
○
○
○
○
○
○
○
○

Notes

11
FRIDAY

Important

To-Do

- ○
- ○
- ○
- ○
- ○
- ○
- ○
- ○
- ○
- ○

Notes

7

8

9

10

11

12 PM

1

2

3

4

5

6

7

8

9

M	T	W	T	F	S	S
	1	2	3	4	5	6
7	8	9	10	11	12	13
14	15	16	17	18	19	20
21	22	23	24	25	26	27
28	29	30				

12
SATURDAY

7

8

9

10

11

12 PM

1

2

3

4

5

6

7

8

9

Important

To-Do

○
○
○
○
○
○
○
○
○

Notes

13
SUNDAY

Important

_____
_____
_____
_____
_____
_____
_____
_____
_____

To-Do

○ _____
○ _____
○ _____
○ _____
○ _____
○ _____
○ _____
○ _____
○ _____
○ _____

Notes

_____
_____
_____
_____
_____
_____

7 _____

8 _____

9 _____

10 _____

11 _____

12 PM _____

1 _____

2 _____

3 _____

4 _____

5 _____

6 _____

7 _____

8 _____

9 _____
_____

M	T	W	T	F	S	S
	1	2	3	4	5	6
7	8	9	10	11	12	13
14	15	16	17	18	19	20
21	22	23	24	25	26	27
28	29	30				

JUNE **2021**

WK **23**

Weekly Recap

_____
_____
_____
_____
_____
_____
_____
_____
_____
_____
_____
_____
_____
_____

Ideas

_____
_____
_____
_____
_____
_____
_____
_____
_____
_____
_____
_____

14
MONDAY

Important

To-Do

- ○
- ○
- ○
- ○
- ○
- ○
- ○
- ○
- ○
- ○

Notes

7

8

9

10

11

12 PM

1

2

3

4

5

6

7

8

9

M	T	W	T	F	S	S
	1	2	3	4	5	6
7	8	9	10	11	12	13
14	15	16	17	18	19	20
21	22	23	24	25	26	27
28	29	30				

15
TUESDAY

JUNE  2021
WK 24

7

8

9

10

11

12 PM

1

2

3

4

5

6

7

8

9

Important

To-Do

○
○
○
○
○
○
○
○
○
○

Notes

16
WEDNESDAY

Important

7

8

9

10

11

12 PM

To-Do

1

○

2

○

○

3

○

○

4

○

○

5

○

○

6

○

Notes

7

8

9

M	T	W	T	F	S	S
	1	2	3	4	5	6
7	8	9	10	11	12	13
14	15	16	17	18	19	20
21	22	23	24	25	26	27
28	29	30				

17
THURSDAY

JUNE **2021**
WK **24**

7

8

9

10

11

12 PM

1

2

3

4

5

6

7

8

9

Important

To-Do

- ○
- ○
- ○
- ○
- ○
- ○
- ○
- ○
- ○
- ○

Notes

18
FRIDAY

Important

To-Do
- ○
- ○
- ○
- ○
- ○
- ○
- ○
- ○
- ○
- ○

Notes

7

8

9

10

11

12 PM

1

2

3

4

5

6

7

8

9

M	T	W	T	F	S	S
	1	2	3	4	5	6
7	8	9	10	11	12	13
14	15	16	17	18	19	20
21	22	23	24	25	26	27
28	29	30				

19
SATURDAY

JUNE **2021**
WK 24

7

8

9

10

11

12 PM

1

2

3

4

5

6

7

8

9

Important

To-Do

○
○
○
○
○
○
○
○
○
○

Notes

20
SUNDAY

Important

To-Do
- ○
- ○
- ○
- ○
- ○
- ○
- ○
- ○
- ○
- ○

Notes

7

8

9

10

11

12 PM

1

2

3

4

5

6

7

8

9

M	T	W	T	F	S	S
	1	2	3	4	5	6
7	8	9	10	11	12	13
14	15	16	17	18	19	20
21	22	23	24	25	26	27
28	29	30				

JUNE **2021**

WK 24

Weekly Recap

Ideas

21
MONDAY

Important

To-Do

- ○
- ○
- ○
- ○
- ○
- ○
- ○
- ○
- ○
- ○

Notes

7

8

9

10

11

12 PM

1

2

3

4

5

6

7

8

9

M	T	W	T	F	S	S
	1	2	3	4	5	6
7	8	9	10	11	12	13
14	15	16	17	18	19	20
21	22	23	24	25	26	27
28	29	30				

22
TUESDAY

JUNE  **2021**

WK 25

7

8

9

10

11

12 PM

1

2

3

4

5

6

7

8

9

Important

To-Do

○
○
○
○
○
○
○
○
○
○

Notes

23
WEDNESDAY

Important

To-Do

○
○
○
○
○
○
○
○
○
○

Notes

7

8

9

10

11

12 PM

1

2

3

4

5

6

7

8

9

M	T	W	T	F	S	S
	1	2	3	4	5	6
7	8	9	10	11	12	13
14	15	16	17	18	19	20
21	22	23	24	25	26	27
28	29	30				

24
THURSDAY

JUNE  **2021**

WK 25

7

8

9

10

11

12 PM

1

2

3

4

5

6

7

8

9

Important

To-Do

○
○
○
○
○
○
○
○
○
○

Notes

25
FRIDAY

Important

To-Do
- ○
- ○
- ○
- ○
- ○
- ○
- ○
- ○
- ○
- ○

Notes

7

8

9

10

11

12 PM

1

2

3

4

5

6

7

8

9

M	T	W	T	F	S	S
	1	2	3	4	5	6
7	8	9	10	11	12	13
14	15	16	17	18	19	20
21	22	23	24	25	26	27
28	29	30				

26
SATURDAY

7

8

9

10

11

12 PM

1

2

3

4

5

6

7

8

9

Important

To-Do

○
○
○
○
○
○
○
○
○
○

Notes

27
SUNDAY

Important

To-Do

- ○
- ○
- ○
- ○
- ○
- ○
- ○
- ○
- ○
- ○

Notes

7

8

9

10

11

12 PM

1

2

3

4

5

6

7

8

9

Weekly Recap

Ideas

28
MONDAY

Important

_____
_____
_____
_____
_____
_____
_____
_____

To-Do

- ○ _____
- ○ _____
- ○ _____
- ○ _____
- ○ _____
- ○ _____
- ○ _____
- ○ _____
- ○ _____
- ○ _____

Notes

_____
_____
_____
_____
_____
_____
_____
_____

7	
8	
9	
10	
11	
12 PM	
1	
2	
3	
4	
5	
6	
7	
8	
9	

M	T	W	T	F	S	S
	1	2	3	4	5	6
7	8	9	10	11	12	13
14	15	16	17	18	19	20
21	22	23	24	25	26	27
28	29	30				

29
TUESDAY

7

8

9

10

11

12 PM

1

2

3

4

5

6

7

8

9

Important

To-Do

○
○
○
○
○
○
○
○
○
○

Notes

30
WEDNESDAY

Important

To-Do

○
○
○
○
○
○
○
○
○
○

Notes

7

8

9

10

11

12 PM

1

2

3

4

5

6

7

8

9

M	T	W	T	F	S	S
			1	2	3	4
5	6	7	8	9	10	11
12	13	14	15	16	17	18
19	20	21	22	23	24	25
26	27	28	29	30	31	

1
THURSDAY

7

8

9

10

11

12 PM

1

2

3

4

5

6

7

8

9

Important

To-Do

○
○
○
○
○
○
○
○
○
○

Notes

2
FRIDAY

Important

To-Do

○

○

○

○

○

○

○

○

○

○

Notes

7

8

9

10

11

12 PM

1

2

3

4

5

6

7

8

9

M	T	W	T	F	S	S
			1	2	3	4
5	6	7	8	9	10	11
12	13	14	15	16	17	18
19	20	21	22	23	24	25
26	27	28	29	30	31	

3
SATURDAY

JULY **2021**
WK 26

7

8

9

10

11

12 PM

1

2

3

4

5

6

7

8

9

Important

To-Do

○
○
○
○
○
○
○
○
○
○

Notes

4
SUNDAY

Important

To-Do

- ○
- ○
- ○
- ○
- ○
- ○
- ○
- ○
- ○
- ○

Notes

7

8

9

10

11

12 PM

1

2

3

4

5

6

7

8

9

M	T	W	T	F	S	S
			1	2	3	4
5	6	7	8	9	10	11
12	13	14	15	16	17	18
19	20	21	22	23	24	25
26	27	28	29	30	31	

JULY 2021
WK 26

Weekly Recap

Ideas

MONDAY	TUESDAY	WEDNESDAY	THURSDAY
29	30	1	2
6	7	8	9
13	14	15	16
20	21	22	23
27	28	29	30

FRIDAY	SATURDAY	SUNDAY
3	4	5
10	11	12
17	18	19
24	25	26
31		

Notes

To-Do

○
○
○
○
○
○
○
○
○
○
○
○
○
○
○
○
○
○

MONDAY	TUESDAY	WEDNESDAY	THURSDAY
27	28	29	30
3	4	5	6
10	11	12	13
17	18	19	20
24	25	26	27
31			

FRIDAY	SATURDAY	SUNDAY
31	1	2
7	8	9
14	15	16
21	22	23
28	29	30

Notes

To-Do

○
○
○
○
○
○
○
○
○
○
○
○
○
○
○
○
○

Notes

MONDAY	TUESDAY	WEDNESDAY	THURSDAY
31	1	2	3
7	8	9	10
14	15	16	17
21	22	23	24
28	29	30	1

FRIDAY	SATURDAY	SUNDAY
4	5	6
11	12	13
18	19	20
25	26	27
2	3	4

Notes

_____
_____
_____
_____
_____
_____
_____
_____
_____
_____
_____
_____

To-Do

○ _____
○ _____
○ _____
○ _____
○ _____
○ _____
○ _____
○ _____
○ _____
○ _____
○ _____
○ _____
○ _____
○ _____
○ _____
○ _____
○ _____

MONDAY	TUESDAY	WEDNESDAY	THURSDAY
28	29	30	1
5	6	7	8
12	13	14	15
19	20	21	22
26	27	28	29

OCTOBER 2020

FRIDAY	SATURDAY	SUNDAY
2	3	4
9	10	11
16	17	18
23	24	25
30	31	

Notes

_____
_____
_____
_____
_____
_____
_____
_____
_____
_____
_____
_____
_____
_____
_____

To-Do

- ○ _____
- ○ _____
- ○ _____
- ○ _____
- ○ _____
- ○ _____
- ○ _____
- ○ _____
- ○ _____
- ○ _____
- ○ _____
- ○ _____
- ○ _____
- ○ _____
- ○ _____
- ○ _____
- ○ _____

MONDAY	TUESDAY	WEDNESDAY	THURSDAY
26	27	28	29
2	3	4	5
9	10	11	12
16	17	18	19
23 / 30	24	25	26

FRIDAY	SATURDAY	SUNDAY
30	31	1
6	7	8
13	14	15
20	21	22
27	28	29

Notes

_____
_____
_____
_____
_____
_____
_____
_____
_____
_____
_____
_____
_____
_____
_____

To-Do

○ _____
○ _____
○ _____
○ _____
○ _____
○ _____
○ _____
○ _____
○ _____
○ _____
○ _____
○ _____
○ _____
○ _____
○ _____
○ _____
○ _____

MONDAY	TUESDAY	WEDNESDAY	THURSDAY
30	1	2	3
7	8	9	10
14	15	16	17
21	22	23	24
28	29	30	31

FRIDAY	SATURDAY	SUNDAY
4	5	6
11	12	13
18	19	20
25	26	27
1	2	3

Notes

_____
_____
_____
_____
_____
_____
_____
_____
_____
_____
_____
_____

To-Do

○ _____
○ _____
○ _____
○ _____
○ _____
○ _____
○ _____
○ _____
○ _____
○ _____
○ _____
○ _____
○ _____
○ _____
○ _____
○ _____

Notes

MONDAY	TUESDAY	WEDNESDAY	THURSDAY
28	29	30	31
4	5	6	7
11	12	13	14
18	19	20	21
25	26	27	28

FRIDAY	SATURDAY	SUNDAY
1	2	3
8	9	10
15	16	17
22	23	24
29	30	31

Notes

_____
_____
_____
_____
_____
_____
_____
_____
_____
_____
_____
_____
_____

To-Do

○ _____
○ _____
○ _____
○ _____
○ _____
○ _____
○ _____
○ _____
○ _____
○ _____
○ _____
○ _____
○ _____
○ _____
○ _____
○ _____
○ _____

MONDAY	TUESDAY	WEDNESDAY	THURSDAY
1	2	3	4
8	9	10	11
15	16	17	18
22	23	24	25
1	2	3	4

FRIDAY	SATURDAY	SUNDAY
5	6	7
12	13	14
19	20	21
26	27	28
5	6	7

Notes

_____
_____
_____
_____
_____
_____
_____
_____
_____
_____
_____
_____
_____

To-Do

○ _____
○ _____
○ _____
○ _____
○ _____
○ _____
○ _____
○ _____
○ _____
○ _____
○ _____
○ _____
○ _____
○ _____
○ _____
○ _____
○ _____

MONDAY	TUESDAY	WEDNESDAY	THURSDAY
1	2	3	4
8	9	10	11
15	16	17	18
22	23	24	25
29	30	31	

FRIDAY	SATURDAY	SUNDAY
5	6	7
12	13	14
19	20	21
26	27	28
2	3	4

Notes

_____
_____
_____
_____
_____
_____
_____
_____
_____
_____
_____
_____
_____

To-Do

○ _____
○ _____
○ _____
○ _____
○ _____
○ _____
○ _____
○ _____
○ _____
○ _____
○ _____
○ _____
○ _____
○ _____
○ _____
○ _____
○ _____

MONDAY	TUESDAY	WEDNESDAY	THURSDAY
29	30	31	1
5	6	7	8
12	13	14	15
19	20	21	22
26	27	28	29

FRIDAY	SATURDAY	SUNDAY
2	3	4
9	10	11
16	17	18
23	24	25
30	1	2

Notes

_____
_____
_____
_____
_____
_____
_____
_____
_____
_____
_____
_____
_____

To-Do

○ _____
○ _____
○ _____
○ _____
○ _____
○ _____
○ _____
○ _____
○ _____
○ _____
○ _____
○ _____
○ _____
○ _____
○ _____
○ _____

Notes

MONDAY	TUESDAY	WEDNESDAY	THURSDAY
26	27	28	29
3	4	5	6
10	11	12	13
17	18	19	20
24 / 31	25	26	27

FRIDAY	SATURDAY	SUNDAY
30	1	2
7	8	9
14	15	16
21	22	23
28	29	30

Notes

_____
_____
_____
_____
_____
_____
_____
_____
_____
_____
_____
_____
_____
_____

To-Do

- ○ _____
- ○ _____
- ○ _____
- ○ _____
- ○ _____
- ○ _____
- ○ _____
- ○ _____
- ○ _____
- ○ _____
- ○ _____
- ○ _____
- ○ _____
- ○ _____
- ○ _____
- ○ _____

MONDAY	TUESDAY	WEDNESDAY	THURSDAY
31	1	2	3
7	8	9	10
14	15	16	17
21	22	23	24
28	29	30	1

FRIDAY	SATURDAY	SUNDAY
4	5	6
11	12	13
18	19	20
25	26	27
2	3	4

Notes

_____
_____
_____
_____
_____
_____
_____
_____
_____
_____
_____
_____
_____
_____

To-Do

○ _____
○ _____
○ _____
○ _____
○ _____
○ _____
○ _____
○ _____
○ _____
○ _____
○ _____
○ _____
○ _____
○ _____
○ _____
○ _____
○ _____

Notes

🕐	MON	TUE	WED	THU	FRI	SAT	SUN

WEEKLY SCHEDULE

🕐	MON	TUE	WED	THU	FRI	SAT	SUN

Date:	Subject:
Participants:	

Notes

Date:	Subject:
Participants:	

Notes

MEETING NOTES

Date:	Subject:
Participants:	

Notes

Date:	Subject:
Participants:	

Notes

Date:	Subject:
Participants:	

Notes

Date:	Subject:
Participants:	

Notes

MEETING NOTES

Date:	Subject:
Participants:	

Notes

Date:	Subject:
Participants:	

Notes

	Date	Description of Expense	Category	Amount	Payment Type
1					
2					
3					
4					
5					
6					
7					
8					
9					
10					
11					
12					
13					
14					
15					
16					
17					
18					
19					
20					
21					
22					
23					
24					
25					
26					
27					
28					
29					
30					

EXPENSE TRACKER

	Date	Description of Expense	Category	Amount	Payment Type
31					
32					
33					
34					
35					
36					
37					
38					
39					
40					
41					
42					
43					
44					
45					
46					
47					
48					
49					
50					
51					
52					
53					
54					
55					
56					
57					
58					
59					
60					

	Date	Description of Expense	Category	Amount	Payment Type
61					
62					
63					
64					
65					
66					
67					
68					
69					
70					
71					
72					
73					
74					
75					
76					
77					
78					
79					
80					
81					
82					
83					
84					
85					
86					
87					
88					
89					
90					

EXPENSE TRACKER

	Date	Description of Expense	Category	Amount	Payment Type
91					
92					
93					
94					
95					
96					
97					
98					
99					
100					
101					
102					
103					
104					
105					
106					
107					
108					
109					
110					
111					
112					
113					
114					
115					
116					
117					
118					
119					
120					

NOTES

👤 _____

📞 _____

@ _____

👤 _____

📞 _____

@ _____

👤 _____

📞 _____

@ _____

👤 _____

📞 _____

@ _____

👤 _____

📞 _____

@ _____

👤 _____

📞 _____

@ _____

👤 _____

📞 _____

@ _____

👤 _____

📞 _____

@ _____

👤 _____

📞 _____

@ _____

👤 _____

📞 _____

@ _____

👤 _____

📞 _____

@ _____

👤 _____

📞 _____

@ _____

👤 _____

📞 _____

@ _____

👤 _____

📞 _____

@ _____

👤 _____

📞 _____

@ _____

👤 _____

📞 _____

@ _____

CONTACTS

👤 _____
📞 _____
@ _____

👤 _____
📞 _____
@ _____

👤 _____
📞 _____
@ _____

👤 _____
📞 _____
@ _____

👤 _____
📞 _____
@ _____

👤 _____
📞 _____
@ _____

👤 _____
📞 _____
@ _____

👤 _____
📞 _____
@ _____

👤 _____
📞 _____
@ _____

👤 _____
📞 _____
@ _____

👤 _____
📞 _____
@ _____

👤 _____
📞 _____
@ _____

👤 _____
📞 _____
@ _____

👤 _____
📞 _____
@ _____

👤 _____
📞 _____
@ _____

👤 _____
📞 _____
@ _____

CPSIA information can be obtained
at www.ICGtesting.com
Printed in the USA
BVHW010339151020
591043BV00003B/82